ISBN 978-1-332-46504-0
PIBN 10345964

1 MONTH OF
FREE
READING

at
www.ForgottenBooks.com

By purchasing this book you are eligible for one month membership to ForgottenBooks.com, giving you unlimited access to our entire collection of over 700,000 titles via our web site and mobile apps.

To claim your free month visit:
www.forgottenbooks.com/free345964

Chirurgische Technik.

Von

Dr. Friedrich von Esmarch und **Dr. Ernst Kowalzig**

Professor der Chirurgie in Kiel.

vorm. I. Assistent der chirurg. Klinik.

Kurz und bündig.

Erster Band.

Verbandlehre.

4. verbesserte Auflage.

Mit 324 Holzschnitten.

Kiel und Leipzig.

Verlag von Lipsius & Tischer.

1893.

Handbuch

der

Kriegschirurgischen Technik.

Gekrönte Preisschrift

von

Dr. Friedrich von Esmarch,

Professor der Chirurgie in Kiel.

Vierte Auflage

durchgehends neubearbeitet, vermehrt und verbessert

von

Dr. Fr. von Esmarch und **Dr. E. Kowalzig**

Professor der Chirurgie in Kiel.   vorm. 1. Assistent d. chirurg. Klinik.

Erster Band:

Verbandlehre.

Kurz und bündig.

Kiel und Leipzig.

Verlag von Lipsius & Tischer.

1893.

Druck von August Hopfer, Burg b. M.

Vorwort zur ersten Auflage.

Um die Interessen der Humanität unter dem Symbol des rothen Kreuzes auch im Frieden zu fördern, hatten

Ihre Majestät die Deutsche Kaiserin

in Veranlassung der Wiener Weltausstellung zwei grosse Preise auszusetzen geruht, den einen derselben für das beste Handbuch der kriegschirurgischen Technik.

Nach den Bestimmungen, von deren genauer Innehaltung die Preisertheilung abhängig gemacht wurde, sollte dieses Handbuch: „in prägnanter Kürze durch eine Schilderung der verschiedenen Verbandmethoden und Verbände, wie der im Felde vorkommenden chirurgischen Operationen, den jetzigen Standpunkt der kriegschirurgischen Technik so wiedergeben, dass es zum unentbehrlichen Begleiter uud praktischen Hülfsmittel für jeden Feldarzt werde."

Von der aus drei Mitgliedern bestehenden Preisjury, dem Herrn Geheimen Ober-Medicinalrath und Generalarzt Professor Dr. B. von Langenbeck in Berlin, dem Herrn Hofrath Professor Dr. Billroth in Wien und dem Herrn Professor Dr. Socin in Basel, wurde dem Verfasser dieser Schrift der erste Preis zuerkannt.

Der Verfasser hat sich streng an die Bestimmungen der Preisaufgabe gehalten und ist dabei von dem Gedanken ausgegangen, dass ein solches Handbuch vorzugsweise dazu dienen solle, dem Gedächtniss zu Hülfe zu kommen. Dies lässt sich besser durch Bilder als durch viele Worte erreichen. Denn im Felde hat Niemand die Zeit, viel zu lesen. Ein Blick aber auf eine Abbildung, welche einen Verband, eine Operation, ein anatomisches Präparat deutlich wiedergiebt, vermag am Schnellsten Das zurückzurufen, was früher erlernt, im Gedränge kriegerischer Ereignisse dem Gedächtnisse entschwunden war.

Das Buch enthält deshalb viele Bilder mit möglichst kurzem Text.

Wenn der Chirurg im Frieden vor einer grösseren Operation gern seine anatomischen Handbücher und Bilderwerke zu Rathe zieht, um sich über das Operationsfeld zu orientiren, im Felde muss er diese Hülfsmittel meist schmerzlich entbehren. Deshalb sind bei jeder grösseren Operation die wichtigeren anatomischen Verhältnisse durch deutliche Abbildungen illustrirt, die zum Theil guten anatomischen Kupferwerken entnommen, zum grösseren Theile für diesen Zweck neu hergestellt sind.

Ausser diesem Hauptzweck hat der Verfasser noch folgende ins Auge gefasst:

1. Das Buch sollte geeignet sein, zum Unterricht, nicht nur für angehende Militairärzte, sondern auch für Krankenpfleger zu dienen, da die Aerzte im Kriege nicht selten in die Lage kommen, ihr Wartepersonal selbst erst ausbilden zu müssen. Durch Benutzung der Abbildungen kann ihnen diese Aufgabe erleichtert werden. Auch ist aus diesem Grunde auf die Improvisirung von Verbandgegenständen besonders Rücksicht genommen worden.

2. Das Buch sollte für die Organe der freiwilligen Hülfe ein Wegweiser sein bei der Anschaffung und Bereithaltung von Verbandgegenständen, Apparaten und Instrumenten, wie sie vorzugsweise im Kriege gebraucht werden. Es könnte als ein illustrirter Catalog für die freiwilligen Hülfs-Depôts dienen und dem Arzt, der Verbandsmaterial von den Depôts zu erhalten wünscht, durch Hinweisung auf die Abbildungen viele Worte ersparen.

3. Das Buch sollte dem Arzte, der in einem kleinen Orte ein Lazareth hat aufschlagen müssen, behülflich sein, dem Handwerker (Tischler, Klempner etc.) seine Wünsche betreffs Anfertigung von Apparaten zur Behandlung der Verwundeten durch Hinweis auf die Abbildungen deutlich zu machen.

Vorwort zur dritten Auflage.

Die erste und die zweite unveränderte Auflage dieses Werkes war schon im Jahre 1881 vergriffen, als der Verleger desselben leider bankerott wurde.

Dem Ansinnen der Konkursverwaltung, in ihrem Verlage die neue Auflage erscheinen zu lassen, konnte ich aus begreiflichen Gründen nicht entsprechen, und so erscheint erst jetzt, nachdem manche Schwierigkeiten überwunden sind, das Buch in sehr veränderter Gestalt.

Es versteht sich von selbst, dass ich mich bemüht habe, die ausserordentlichen Fortschritte, welche die Chirurgie und namentlich die chirurgische Technik in den letzten Jahren gemacht hat, zur Geltung zu bringen.

Ich habe für diese Auflage ein kleineres Format gewählt und lasse das Buch in zwei Bänden erscheinen, damit es im Kriege leichter mitgeführt werden könne.

Ein möglichst vollständiges Sachregister am Ende des zweiten Bandes wird das Aufsuchen der Namen, Sachen und Abbildungen erleichtern.

Ich habe ferner alle Farbendrucktafeln weggelassen, welche das Werk unnöthig vertheuerten und ohnehin nicht zu meiner Zufriedenheit ausgeführt waren.

Statt derselben habe ich Holzschnitte anfertigen lassen, auf welchen die Farben durch verschiedene Schraffirungen ersetzt sind, und hoffe, dass der Zweck dadurch eben so gut erreicht wird.

Bei den Unterbindungsstellen ist die Umgebung, welche die betreffende Körperregion darstellte und sehr viel Raum einnahm, fortgeblieben, und habe ich dafür eine menschliche Figur mit stark ausgeprägter Muskulatur eingeschoben, auf welcher die Lage der Hautschnitte für die Unterbindungen durch Zahlen bezeichnet sind.

In den Unterbindungsstellen selbst sind die Arterien durch parallele Streifung, die Venen durch netzförmige Schraffirung kenntlich gemacht, während die Nerven weiss geblieben sind, so dass diese drei Theile auf den ersten Blick von einander unterschieden werden können. Bei frischen Verletzungen von Arterienstämmen wird die Unterbindung oberhalb der verletzten Stelle in jetziger Zeit kaum noch in Frage kommen, weil man in den meisten Fällen die verletzte Arterie in der Wunde selbst aufsuchen wird. Dennoch habe ich mich nicht entschliessen können, die Darstellung jener Operationen fortzulassen, weil dieselben für die Uebungen am Kadaver unentbehrlich sind, und weil dies Handbuch von Aerzten und Studirenden vielfach zur Orientirung bei den Operationsübungen benutzt wird. Doch habe ich, um die Lage der Hauptarterien in ihrem ganzen Verlauf ins Gedächtniss zurückzurufen, einige anatomische Abbildungen des Arterienverlaufes hinzugefügt.

Auch die Querschnitte der Glieder, welche zur Orientirung bei den Amputationen dienen sollen, sind nicht mehr durch Farbendruck, sondern in Holzschnitten dargestellt, auf welchen die Querschnitte der Arterien kreisrund, die der Venen plattoval erscheinen, während die Namen der Muskeln in die Querschnitte derselben hineingeschrieben sind.

Die Methode der jetzt üblichen antiseptischen Wundbehandlung ist in der Verbandlehre ausführlich dargestellt, während die secundäre Antiseptik erst in der Operationslehre bei der Behandlung septischer Wunden geschildert wird, weil dieselbe in der That jetzt einen der wichtigsten Abschnitte der operativen Technik bildet.

Einzelne Kapitel der Operationslehre (z. B. die Transfusion) sind wesentlich vereinfacht und abgekürzt worden, während andere (z. B. die Behandlung der Darmverletzungen) ausführlicher behandelt werden mussten.

Auch die Indicationen für die verschiedenen Operationen sind jetzt überall, wenn auch nur kurz, aufgestellt worden.

Ich hatte anfangs die Absicht, alles Veraltete und in meiner Praxis nicht mehr Gebrauchte, namentlich in der Verbandlehre, ganz wegzulassen.

Weil aber das Buch nicht blos von fertigen Militairärzten, sondern vielfach auch von Anfängern im medicinischen Studium benutzt wird, so habe ich manche Verbände und Verbandmittel noch wieder mit abdrucken lassen, welche entweder als Uebungsstücke zu dienen pflegen oder für die Kenntnisse der historischen Entwicklung der chirurgischen Technik einigen Werth besitzen.

Kiel, im Mai 1885.

Esmarch.

Vorwort zur vierten Auflage.

Bevor die dritte Auflage dieses Handbuches vergriffen war, habe ich mit Hülfe meines Schülers und Freundes Dr. Kowalzig einen dritten Band hinzugefügt, welcher alle diejenigen Operationen enthält, die in den beiden ersten Bänden nicht geschildert waren, und ihn als „Ergänzungsband zum Handbuch der kriegschirurgischen Technik" bezeichnet. Da nun eine vierte Auflage dieser ersten zwei Bände nothwendig geworden, so habe ich wiederum diese dem dritten Bande anpassen müssen, um sie als ersten und zweiten Band der „Chirurgischen Technik" mit dem Inhalt des dritten in Einklang zu bringen. Ich habe deshalb eine völlig neue Bearbeitung, wiederum mit Hülfe von Herrn Dr. Kowalzig, vorgenommen, und so erscheint diese nunmehr unter doppeltem Titel.

Wir haben in dem ersten Bande zunächst die Lehre von der Wundbehandlung, von der Aseptik und Antiseptik, welche in den früheren Auflagen zum Theil mit im zweiten Bande abgehandelt wurde, zusammengefasst und darnach wieder die Verbände in etwas anderer Anordnung geschildert.

Im zweiten Bande werden ausser den im Kriege vorzugsweise vorkommenden Operationen an den Gefässen, Knochen und Gelenken, die früher nicht berücksichtigten System-Operationen auch an den Hautdecken, Sehnen, Nerven u. s. w. geschildert, so dass nunmehr in den drei Bänden sämmtliche in Kriegs- und Friedenszeiten vorkommenden Operationen abgehandelt sind.

Wir sind dabei meinem bisherigen Grundsatz treu geblieben, mit Hülfe von vielen Abbildungen und mit möglichst wenigen Worten und möglichster Vermeidung von Fremdwörtern alle Operationen „kurz und bündig" zu schildern. Die Umarbeitung des zweiten Bandes wird in einigen Monaten erscheinen.

Kiel, den 9. Januar 1893.

Friedrich v. Esmarch.

Inhalt.

Aufgabe der Wundbehandlung

ist, alle **Schädlichkeiten fernzuhalten,** welche die Heilung stören.

Diese Schädlichkeiten sind:

1. Jede **Verunreinigung** der Wunde **(Infection)** durch Microorganismen, da diese die Wundsecrete zersetzen und Wundfieber, Entzündung, Eiterung und alle damit zusammenhängenden (accidentellen) Wundkrankheiten veranlassen.

Man verhütet sie bei frischen Wunden durch äusserste Reinlichkeit **(Asepsis)** und bekämpft sie bei schon unreinen, inficirten Wunden, indem man die in ihnen vorhandenen Infectionskeime vernichtet **(Antisepsis)**.

2. Die **Ansammlung** und **Verhaltung** von Blut oder Lymphe in der Wunde (Retention der Wundsecrete), da dieselben die Wundflächen auseinander drängen und die Entwicklung etwa vorhandener Infectionskeime begünstigen.

Man verhütet dieselbe durch sorgfältige **Blutstillung,** vollständige Ableitung der Wundflüssigkeiten **(Drainage, Trockenlegung der Wunde),** Vermeidung von Hohlräumen im Innern der Wunde und durch zweckmässig angelegte, gut aufsaugende Verbände **(Druckverband)**.

3. Das **Klaffen** der Wunde, weil es die Heilung durch erste Verklebung (per primam intentionem) verhindert.

Es wird beseitigt durch rechtzeitige genaue Vereinigung der Wundflächen und Wundränder **(Wundnaht)**.

4. Jede **Beunruhigung** der Wunde (Bewegung, unnöthige Berührung, Untersuchung, Ausquetschung), weil dieselbe die Heilung stören und den Eintritt von Blutung und Entzündung begünstigen kann.

Esmarch-Kowalzig, Technik. 4. Aufl.

Hiergegen schützt reichliche **Bedeckung** der Wunde, sichere Befestigung des Verbandes (**Schutzverband**) und möglichst seltener Wechsel desselben (**Dauerverband**)*); ferner vollkommene **Ruhigstellung** des verletzten Körpertheils (durch zweckmässige Lagerung, durch Tücher, Schienen, feste Verbände, Schutzkörbe u. s. w.), stetige **Bettruhe** bei schweren Wunden u. s. w.

5. Jede **Behinderung** des Rückflusses von Blut und Lymphe, (**Stauung**), welche vermehrten Austritt von Wundsecret, selbst Gangrän, zur Folge haben kann.

Hiergegen wirkt **Hochlagerung** des verletzten Theiles und Vermeidung jeder Einschnürung (**Strangulation**) durch Kleidungsstücke oder Verbände.

6. Die **nachträgliche Infection** im weiteren Wundverlauf beim **Verbandwechsel**.

Sie wird verhindert durch **möglichst seltenen** Wechsel und aseptische Ausführung des Verbandes.

7. Die **Entzündung** verletzter Theile mit ihren Folgen.

Sie wird bekämpft durch **Antiphlogose**, Ruhe, hohe Lage, Wärmeentziehung und bei Entzündung der Gelenke durch Distraction der Gelenkenden.

Asepsis.

Die Asepsis bezweckt die Verhütung der Wundinfection durch Fernhaltung oder Abtödtung aller die Wunde schädigenden (infectiösen) Microorganismen, ehe dieselben mit der Wunde in Berührung kommen.

Da sich diese **überall** vorfinden, so könnte eine Infection stattfinden durch die Luft (**Luftinfection**) und durch die mit der Wunde in Berührung kommenden Gegenstände [Hände, Instrumente, Wasser, Verbandstoffe] (**Contactinfection**). Die Verhütung dieser Schädlichkeiten durch peinlichste **Reinlichkeit** und Desinfection bildet die hauptsächlichste Aufgabe bei den

----

*) Optimum remedium quies est (**Celsus**).

Vorbereitungen zu aseptischen Operationen und Verbänden.

Reinigung des Operationsraumes.

Lister glaubte die in der Luft schwebenden Bacterien durch Zerstäubung antiseptischer Flüssigkeiten (3 % Carbollösung) abtödten zu können: während der Operation und beim Verbinden liess er daher einen durch einen Zerstäuber (**Spray**) erzeugten Sprühregen (Carbolnebel) auf die Wunde und die Hände des Chirurgen richten. Man benutzte entweder kleinere, durch die Hand (Fig. 1), oder einen grösseren durch Dampf in Betrieb zu setzenden Zerstäuber.

Fig. 1.

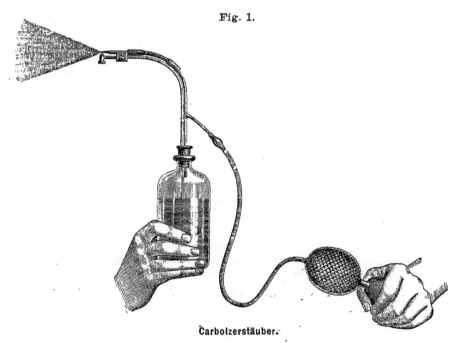

Carbolzerstäuber.

Musste der Carbolnebel aus irgend einem Grunde während der Operation unterbrochen werden, so suchte Lister die Wunde durch zeitweilige Bedeckung mit Carbolgaze vor der Einwirkung der Luft zu schützen.

1*

Vielfache Erfahrungen haben aber bewiesen, dass auch o h n e Anwendung des S$_{prays}$ die günstigsten Heilungen erzielt werden können, mithin der für alle bei der Operation Betheiligte höchst lästige Carbolnebel e n t b e h r l i c h ist. Er wird daher w ä h r e n d der Operation fast garnicht mehr angewendet, sondern höchstens noch v o r der Operation. Indessen auch dieses ist nicht nöthig, seitdem man weiss, dass in ruhiger Luft nach einiger Zeit die Microorganismen zu Boden sinken und so die Luft sich selbst r e i n i g t. Daher sollte man kurz vor der Operation alle Staubaufwirbelung durch Reinigen und Herrichten des Raumes vermeiden, die nöthige Desinfection am Tage zuvor ausführen und in der Zwischenzeit den Raum nicht betreten. Wohl aber kann man den abgesetzten Staub langsam mit einem feuchten Tuche aufnehmen.

In neueren Anstalten sind die Operationsräume schon mit Rücksicht auf leicht auszuführende Desinfection eingerichtet. Die Wände haben Oelanstrich, der Fussboden ist mit wasserdichtem Material belegt (Terrazzo, Marmor, Fliesen, Kacheln), jede unnöthige Verzierung, Ecken- und Nischenbildung ist vermieden. Die Reinigung vor und nach jeder Operationszeit ist hier leicht durch gründliches A b s e i f e n und Nachspülen, Abspritzen der Wände (und der Decke) zu erreichen.

Muss aber in einem gewöhnlichem Zimmer (im Hause des Patienten) operirt werden, so lässt man zunächst alles unnöthige Geräth und die Staubfänger (Vorhänge, Teppiche, Polstermöbel) herausschaffen, den Fussboden gründlich scheuern, alte Tapeten mit Brot abreiben (E. v. E s m a r c h) und verschliesst den Raum bis zu der etwa 10—12 Stunden später anzusetzenden Operation.

Stark inficirte Räume kann man auch in der Weise desinficiren, dass man sie möglichst dicht an Fenstern und Thüren verschliesst und einige Stangen S c h w e f e l in ihnen verbrennen lässt. (Desinfection durch die entstehende schweflige Säure).

Während der Operation soll der Raum gut gewärmt sein (15—20 ⁰ R.).

Auch die bei der Operation gebrauchten, nothwendigen Geräthe (Tische, Stühle, Behälter) müssen frei von unnöthigen Verzierungen, aber aus solchem Material sein, dass sie sich ohne Schädigung durch gründliches Abseifen mit Schmierseife, Soda und möglichst heissem Wasser reinigen lassen; andernfalls müssen dieselben in einem grösseren Desinfectionsapparat durch

strömenden Wasserdampf sterilisirt werden. Am zweckentsprechend-
sten sind Gegenstände von Eisen und Glas (z. B. Fig. 2, 3) in
möglichst einfacher Construction.

Fig. 2.

Fig. 3.

Schrank für Instrumente und Verbände.   Verbandtischchen.

Der Operationstisch besteht am besten ebenfalls aus
obigem Material oder aus emaillirtem Eisenblech (Fig. 4). Erheblich

Fig. 4.

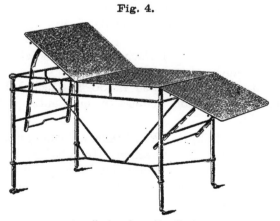

Aseptischer Operationstisch.

billiger aber ist für praktische Aerzte ein starker einfacher Tisch aus Holz mit einer Stellvorrichtung für den Kopf (Stützbrett, s. u.); dieser Tisch dürfte ziemlich weitgehenden Anforderungen genügen, er lässt sich gut abscheuern und, wenn er einmal stark inficirt sein sollte, wegen seiner Wohlfeilheit leicht durch einen neuen ersetzen.

Zur Polsterung wird der Operationstisch mit einer dicken Woll- oder Filzdecke belegt und darüber eine Gummidecke gebreitet.

Reinigung des Arztes und seiner Gehülfen.

Vor jeder Berührung einer Wunde (Operation, Verbandwechsel) müssen die Hände und Vorderarme des Chirurgen sowohl, wie aller ihm helfenden Personen auf das sorgfältigste desinficirt (keimfrei gemacht) werden. Da die Infectionskeime in den vielen Falten und Furchen der äusseren Haut und in den fettigen Secreten derselben (Talgdrüsen) eingebettet liegen, so hat ein einfaches Eintauchen oder Benetzen der Finger, selbst mit starken antiseptischen, wässerigen Lösungen fast gar keine Wirkung. Wohl aber gelingt es durch energisches Abseifen die Fettschichten und Schmutzkrusten mechanisch zu entfernen; Fürbringer erreichte unter Zuhülfenahme des fettlösenden Alcohols durch folgendes Verfahren eine völlige **Sterilisation der Hände:**

1. Nachdem mit dem Nagelputzer die Nagelfurchen sorgfältig gereinigt sind, werden die Hände mit Seife und Bürste in möglichst heissem Wasser 3—5 Minuten lang energisch gebürstet, dann

2. mit reinen (sterilen) Tüchern abgetrocknet und die Nagelfurchen nochmals nachgesehen.

3. Darauf werden dieselben in 80 % Alcohol 1 Minute lang gebürstet und zum Schluss in eine antiseptische Lösung getaucht.

Die beste und billigste Waschseife ist eine gute **Kaliseife** (Schmierseife.) Die aus einfachen Holzplatten mit Schweinsborsten bestehenden Bürsten lassen sich leicht durch einfaches Auskochen sterilisiren und werden in einem mit antiseptischer Lösung ($1^0/_{00}$ Sublimat) gefüllten, neben der Waschvorrichtung stehenden Gefässe aufbewahrt.

Erwähnungswerth ist übrigens
die Thatsache, dass für den Nothfall auch ohne Antisepticum, nur
durch längeres kräftiges Ab-
bürsten mit Seife und heissem
Wasser, die Hände aseptisch
werden. Selbstverständlich entfernt man bei der Reinigung alle
Schmuckgegenstände von den
Fingern, sowohl der leichteren
Desinfection halber, als auch um
dieselben vor den schädlichen Ein-
flüssen der Chemicalien zu schützen.

Sind während der Operation die
desinficirten Hände mit irgend
einem nicht desinficirten Gegen-
stande oder gar mit Eiter, Urin,
Koth in Berührung gekommen, so
muss die sorgfältige Reinigung
jedesmal wiederholt werden.

Da an wollener Kleidung leicht
Infectionsstoffe haften, und auf
dunklem Stoff Verunreinigungen
(Blutflecke) nicht gut zu sehen
sind, sollten nicht nur der Chirurg,
sondern auch seine Gehülfen bei
ihrer Thätigkeit stets frisch ge-
waschene (und gebügelte) w e i s s e
l e i n e n e R ö c k e anziehen. Im
Nothfalle können dieselben durch
reine H e m d e n ersetzt werden.
Hat man einen genügend grossen
Desinfectionsapparat, so kann man

Fig. 5.

Operations-Anzug.

die Röcke in demselben vor dem Gebrauch sterilisiren. Vor jeder neuen
aseptischen Opcration müssen sie gewechselt werden, wenn sie etwa
während der vorausgegangenen beschmutzt wurden. Zweckmässig
sind daher S c h ü r z e n a u s K a u t s c h u k s t o f f, welche vor jeder
Operation gründlich gewaschen und mit Carbollösung desinficirt werden
müssen. Die Arme sind stets bis zum Ellbogen völlig frei und bis eben-
dahin desinficirt, (oder auch durch desinficirte Kautschukärmel gedeckt).

Da bei manchen Operationen viel Spülflüssigkeit verwendet wird, so kann man, um die Füsse vor Durchnässung. zu schützen, Gummischuhe über die Stiefel ziehen (Fig. 5).

Reinigung der Instrumente.

Alle Instrumente, welche bei der Operation und beim Verbinden gebraucht werden sollen, müssen auf das Sorgfältigste gereinigt und desinficirt werden. Um dieses zu erleichtern, müssen die Instrumente so einfach als möglich gearbeitet, namentlich mit wenig Rillen und Spalten versehen sein, weil sich in diesen leicht Schmutz ansetzt. Deshalb sind alle einfacheren Instrumente (Messer, Wundhaken u. s. w.) aus einem Stück Stahl anzufertigen, Instrumente mit Schloss (Scheere, Zangen) sollen leicht auseinander zu nehmen sein (Fig. 6—12). Die früher gebräuchlichen elfenbeinernen und hölzernen Griffe sollten überhaupt nicht mehr angefertigt werden.

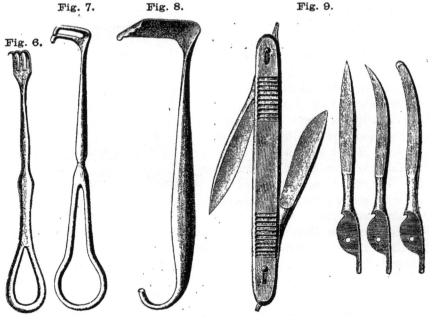

Fig. 6.   Fig. 7.   Fig. 8.   Fig. 9.

Wundhaken aus einem Stück.   **Klappmesser (Bistouri) mit mehreren Einsätzen zum Auseinandernehmen.**

Fig. 10.

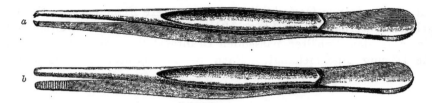

Chirurgische (a) und anatomische (b) Pincette mit glatten Armen.

Fig. 11.

Aseptisches Messer (F. v. Esmarch 1881).

Fig. 12.

Zange mit zerlegbarem Schloss.

Die Sterilisation der Instrumente vor der Operation wird am schnellsten und einfachsten durch Auskochen erzielt. In einem geeigneten Metallbehälter (Kochtopf) bringt man gewöhnliches Wasser zum Sieden und legt die Instrumente 5 Minuten lang in dasselbe hinein (Davidsohn). Setzt man dem Wasser etwas gewöhnliche Soda (1 %) hinzu, so wird dadurch das Rosten des Stahles verhütet und die Desinfectionskraft des Wassers noch erhöht (Schimmelbusch).

Durch dieses höchst einfache Verfahren werden alle pathogenen Bacterien sicher abgetödtet, ja, schon ein nur secundenlanges Eintauchen in die kochende Sodalauge genügt zur Vernichtung der Eitererreger (Staphylococcen).

Für chirurgische Praxis hat man am besten eine nicht zu tiefe Schale (Behälter aus Kupfer oder Nickel) voll Sodalösung auf einem eigenen Gestell, die durch mehrere Flammen zum Sieden gebracht werden kann (Fig. 13). Die Instrumente werden auf einem in den Behälter passenden Drahtgestell ausgebreitet und in die Lösung hineingehängt. Nach 5—10 Minuten hebt man das

Fig. 13.

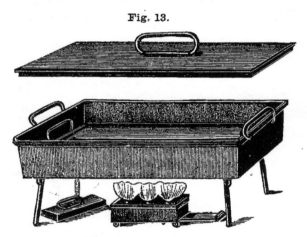

Kochschale für Instrumente.

Drahtgestell heraus und breitet die Instrumente mit einer sterilisirten Zange auf einem sterilen Tuche aus. Sie werden dann während der Operation ab und zu in die kochende Lauge mit der Zange hineingehalten. Auch kann man die Instrumente in eine flache reine Glas- oder Porcellanschale, die mit 3 % Carbollösung gefüllt ist, hineinlegen. Da aber die Schneiden scharfer Instrumente durch diese Lösung bald angegriffen werden, so legt man die Messer, Scheeren, Nadeln besser in eine kleinere mit Alcohol gefüllte Schale (Fig. 14).

Im Hause des Patienten lässt sich selbst unter dürftigen Verhältnissen die Sterilisation der Instrumente durchführen, indem man einen mit der Sodalösung gefüllten Kochtopf, Theekessel u. dgl. auf das Feuer bringt und die in einen Gazebeutel gelegten Instrumente 5—10 Minuten darin sieden lässt.

Lässt sich dieses Auskochen aus irgend einem Grunde nicht ausführen, so kann man die Instrumente auch einige Zeit ($^1/_2$—1 Stunde) vor der Operation in der Instrumentenschale mit

Fig. 14.

Glasschale für Instrumente.

3—5.% Carbol- oder 1% Lysollösung übergiessen und darin
stehen lassen: doch ist diese Desinfection nicht vollkommen sicher.

Nach jedem Gebrauch werden alle Werkzeuge mit heissem
Wasser, Seife und Bürste abgewaschen, energisch abgebürstet und
mechanisch von den in den Ecken sitzenden Blutgerinnseln,
Eiter u. s. w. befreit, mit einem sauberen Tuch sorgfältig abgetrocknet und diejenigen, welche etwa Flecken haben sollten,
mit feinstem Schmirgelpapier und einem Lederlappen nachgeputzt,
was indess bei Anwendung der Sodalösung kaum nöthig werden
dürfte. Unnöthiges kräftiges Scheuern schädigt die Instrumente.

Reinheit der Naht- und Unterbindungs-Fäden.

Am meisten angewendet werden: Catgut, Seide, Silkworm, Metalldraht. Die drei letzteren werden ebenso wie die Instrumente mit diesen zusammen im kochenden Wasser oder im strömenden Dampf sterilisirt. Ein nachträgliches Einlegen in antiseptische Lösung ist dabei nicht nöthig. Zur trockenen Aufbewahrung solcher Fäden eignet sich sehr gut der Behälter von Schimmelbusch (Fig. 15). Schwieriger ist die Desinfection des

Fig. 15.

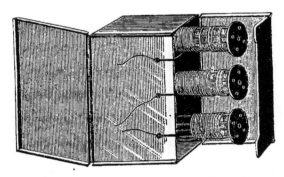

Blech-Behälter für sterilisirte Seide nach Schimmelbusch.

Catgut und anderer resorbirbarer Fäden. Die Desinfection in heisser Luft ist zwar hierbei möglich, erfordert aber zu lange Zeit. Im Wasserdampf und kochendem Wasser wird es vollständig unbrauchbar. Am besten stellt man sich in folgender Weise **aseptisches (Sublimat-) Catgut** her:

Die gewöhnlichen käuflichen Darmsaiten (Rohcatgut) werden auf Glascylinder (Flaschen) in einfacher Lage aufgespult und mit Kaliseife und heissem Wasser stark gebürstet; darauf mit reinem Wasser abgespült, auf kleinere Glaspulen gewickelt und in 1 % Sublimatalcohol (Sublimat 10,0, Alcohol absol. 800,0, Aq. dest. 200,0) wenigstens 2 Tage hindurch eingelegt. Die sich anfangs trübende Flüssigkeit muss ab und zu erneuert werden. Kurz vor dem Gebrauch legt man die Spulen in ein mit Sublimatalcohol 1:2000 gefülltes Gefäss, z. B. in den Glaskasten nach Hagedorn (Fig. 16), in welchem ein zweiter kleinerer Kasten umgestülpt steht, aus dessen Boden die Fäden durch kleine Oeffnungen herausgezogen werden; kleine Kugelventile verhindern das Zurückschlüpfen der Fäden. Aehnlich werden die anderen Materialien (Walfisch-, Rennthier-, Känguruh-, Pergament-Sehnen und Leder) präparirt.

Leicht auszuführen ist übrigens auch die Vorschrift der Kriegs-Sanitäts-Ordnung zur Bereitung von Sublimat-Catgut. Das Roh-catgut wird für 8—12 Stunden in 5 $^0/_{00}$ wässrige Sublimatlösung gelegt und danach bis zum Gebrauch in Alcohol aufbewahrt.

Die zuerst von Lister empfohlene Behandlung des Catgut mit Carbolöl wirkt nicht sicher antiseptisch und ist daher wohl nirgends mehr im Gebrauch.

Fig. 16.

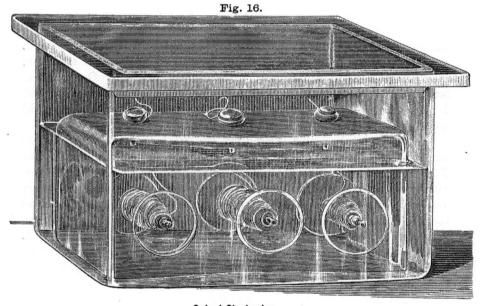

Catgut-Glaskasten.

Dagegen ist das später von Lister angegebene **Chromsäure-Catgut** sehr fest und widersteht länger der Resorption als das Sublimat-Catgut, weshalb es bei gewissen Operationen vorzuziehen ist. Man legt Darmsaiten 48 Stunden in 10 $^0/_0$ Carbolglycerin und dann 5 Stunden in wässerige $^1/_2$ $^0/_0$ Chromsäure-lösung.

Gleichfalls sehr fest und sicher aseptisch ist Kocher's **Juniperuscatgut.** Man legt die Darmsaiten 24 Stunden in Wachholderöl (Oleum Juniperi) und bewahrt sie in Alcohol auf.

Zur bequemeren Handhabung auch ausserhalb des Kranken-
hauses hat man Catgut oder Seide auf kleinere Glasspulen gewickelt und auf einem Glasstabe aneinander gereiht in kleine
Kästchen oder Reagenzgläser mit Schraubenverschluss gethan,
welche leicht in der Tasche untergebracht werden können.

Reinheit der Schwämme und Tupfer.

Schwämme: Zum Abwischen des Blutes bei manchen Operationen kann man die Schwämme nicht entbehren, zumal wenn
es darauf ankommt, durch einen einzigen Schlag schnell die Wundfläche vollkommen rein zu wischen. Sie dürfen aber nur dann
gebraucht werden, wenn alle in ihnen enthaltenen Unreinigkeiten
auf das Sorgfältigste entfernt oder unschädlich gemacht worden sind.

Schwämme können **n i c h t** im Desinfectionsapparat sterilisirt
werden, weil sie dadurch hart und brüchig werden. Das wochen-
lange Einlegen in starke antiseptische Lösungen (5 $^0/_0$ Carbol,
1 $^0/_{00}$ Sublimat) desinficirt nach angestellten Versuchen nicht
ganz sicher·

Um Badeschwämme gründlich zu reinigen, müssen dieselben
zunächst in trocknem Zustande mit einem Holzschlegel zwischen
Tüchern so lange geklopft werden, bis kein Sand mehr darin ist.
Dann werden sie wiederholt in lauwarmem reinem gekochtem Wasser
ausgedrückt (in heissem schrumpfen sie ein). Darnach lässt man
sie 24 Stunden in einer kalten 1 $^0/_{00}$ Lösung von Kali hyperman-
ganicum liegen, welche nach 12 Stunden einmal erneuert wird.
Nachdem sie dann wieder in gekochtem lauem Wasser ausgewaschen
sind, bringt man sie in eine Lösung von Natrium subsulphurosum
(1 $^0/_0$), welcher der fünfte Theil einer Mischung von concentrirter
Salzsäure und Wasser (8 $^0/_0$) zugesetzt ist. In derselben werden
sie mit einem Holzstabe einige Minuten gut umherbewegt, bis
sich die braune Farbe wieder verloren hat. (Lässt man sie darin
zu lange liegen, so werden sie mürbe, zerreisslich.) Dann spült
man sie in reinem Wasser so lange aus, bis sie vollkommen geruchlos sind.

Für 25 grosse Schwämme hat man circa 5000 Gramm der
Lösung von Natrium subsulphurosum und 1000 Gramm Salzsäure-
mischung nöthig. (K e l l e r.)

Um die trockenen Sporen, welche durch diese Behandlung noch
keineswegs unschädlich gemacht worden sind, erst nach der Aufkeimung

zu zerstören, werden dann die Schwämme 3—5 Tage lang in laues Wasser gelegt und an einen warmen Ort (35—38 ⁰ C.) gestellt; das Wasser wird täglich gewechselt.

Dann erst bringt man sie in eine 5 $^0/_0$ Carbol- oder 1 $^0/_{00}$ Sublimatlösung, die nach zwei Tagen noch einmal gewechselt wird. In dieser bleiben sie nun bis zum Gebrauch; alle 14 Tage wird die Lösung erneuert, und die Schwämme müssen mindestens acht Tage darin gelegen haben, ehe man sie bei Operationen verwendet.

Weniger umständlich und schneller ist das Verfahren von Schimmelbusch:

Nachdem die Schwämme tüchtig ausgeklopft und von Sand und Muscheln befreit sind, werden dieselben tüchtig gewässert und durchgeknetet. Dann legt man sie gut ausgepresst in einen Gaze-beutel und taucht diesen $^1/_2$ Stunde lang in ein Gefäss mit kochend heisser Sodalauge (1 $^0/_0$), nachdem man kurz zuvor die Flamme entfernt hat (denn in siedender Lösung werden sie unbrauch-bar). Zum Schluss werden sie stark ausgedrückt und in Sublimat-lösung (0.5 $^0/_{00}$) aufbewahrt. Dieses Verfahren scheint sicher zu wirken, denn schon nach 10 Minuten langem Verweilen in der heissen Lösung waren mit Eiter oder Koth inficirte Schwämme völlig steril.

Während der Operation werden die Schwämme, wenn sie blutig geworden sind, in reinem Wasser ausgewaschen und dann erst wieder in die Carbol- oder Sublimatlösung getaucht, ehe sie ausgedrückt dem Operateur gereicht werden.

Schwämme, welche bei aseptischen Operationen gebraucht worden sind, müssen erst wieder durch wiederholtes Auswaschen in Seifenwasser und Natronlauge von Blutgerinnseln und Fett be-freit und dann auf 8 Tage in 5 $^0/_0$ Carbolwasser gelegt werden, ehe sie wieder bei Operationen verwendet werden dürfen.

Schwämme, die bei inficirten, jauchenden, brandigen Wunden gebraucht wurden, sollten gleich verbrannt werden.

Zum Reinigen der Umgebung der Wunden, zum Abwischen des Eiters beim Verbandwechsel sollte man überhaupt niemals Schwämme, sondern nur Tupfer und die Wunddusche verwenden.

Tupfer nennt man lockere Kugeln von entfetteter Watte, Holzfaser, Jute u. dergl., welche in aseptischer Gaze eingebunden sind (Fig. 17).

Entfettete Watte saugt schnell auf, ballt sich aber beim Aus-
drücken der Flüssigkeit zu einer festen, schlecht aufsaugenden
Masse zusammen; daher ist es zweckmässig, zum Kern des Tupfers
Holzfaser zu verwenden, welche durch ihre Elasticität das Zusammen-
ballen verhindert.

Tupfer aus den anderen Stoffen saugen
weniger gut.

Fig. 17.

Die Tupfer werden mit den Verbandstoffen in demselben Apparat durch
Dampf sterilisirt. Sie sind wegen ihrer
Billigkeit und Sterilität überall anwendbar, namentlich aber bei unreinen Operationen, da man die Schwämme nicht
gern inficirt. Nach dem Gebrauch werden
sie vernichtet (verbrannt).

Ein noch einfacheres Tupfmaterial,
dem noch grössere Saugkraft innewohnt,
sind die durch einige Heftstiche lose zusammengefalteten Gazeläppchen (G e r -
s u n y) oder handgrosse Gazestückchen in

Tupfer.

doppelter Lage, zwischen welche eine platte dünne Watteschicht
eingelegt wird, oder gewöhnliche zusammengeballte Krüllgaze.
Freilich ist der Verbrauch von Gaze hierbei nicht ganz unbedeutend:
Tupfer sind billiger.

Reinigung des Kranken.

Vor jeder grösseren Operation (und vor jedem Verbande einer
frischen Wunde) sollte, wenn es möglich ist, der ganze Körper
des Kranken in einem **Vollbade** mit Kaliseife und Bürste gründlich abgewaschen werden. Hierzu eignet sich vorzüglich die fahr-
bare Badewanne von Q u i n c k e (Fig. 18), weil dieselbe bei bequemer Lage des Kranken verhältnissmässig wenig Wasser zur
Füllung erfordert. Zur Reinigung eines einzelnen Gliedes und
vor Allem für Dauerbäder benutzt man die A r m - und B e i n -
w a n n e n (Fig. 19, 20) aus Zinkblech, deren Deckel an einer
Seite einen Ausschnitt hat. An beiden Längsseiten sind Knöpfe
angebracht, an denen sich Bindenstreifen zur Stütze des Gliedes
befestigen lassen.

Zur Reinigung der Beckengegend dienen Sitzbäder in den Sitzwannen.

Unmittelbar vor der Operation wird dann auf dem Operationstisch das Operationsfeld, die ganze Umgebung der Wunde, noch einmal gründlich gereinigt und desinficirt.

Fig. 18.

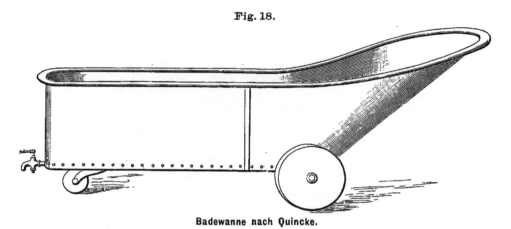

Badewanne nach Quincke.

Zuerst werden alle Haare in der Wundgegend a b r a s i r t (weil in ihnen vorzugsweise Entzündungserreger haften) auf dem behaarten Kopf mindestens 4 cm über die Grenzen der Wunde hinaus. Bei grösseren Operationen (Trepanation) rasirt man am besten die ganze Kopfhaut.

Fig. 19.

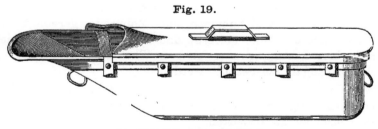

Arm-Bade-Wanne aus Zinkblech.

Darnach wird die Wundgegend mit einem Stück Watte, welches in Aether oder Terpentinspiritus getaucht ist, abgerieben, um das Hautfett zu lösen und zu entfernen. Dann folgt eine gründliche

Abwaschung mit Seife und Bürste und schliesslich die Desinfection mit Sublimatlösung. Zum Schluss kann man noch das ganze Operationsfeld mit Jodoformäther (1 : 7) abreiben.

Fig. 20.

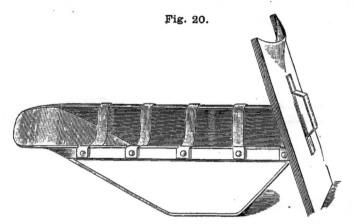

Bein-Bade-Wanne aus Zinkblech.

Vor Operationen an Händen und Füssen müssen die dicken oberen Epidermisschichten nach Erweichung durch Seifenbäder mit scharfen Bürsten möglichst entfernt und vor allem der Schmutz unter den Nägeln und zwischen den Zehen beseitigt werden. Sicherer ist es, wenn man diese Theile, die ja während der Operation oftmals berührt werden müssen, mit sterilen Binden umwickelt.

Vor Operationen am und im Munde müssen die Zähne auf das sorgfältigste mit Zahnbürste und Zahnseife gereinigt, Zahnstein und cariöse Zähne entfernt und darnach der Mund wiederholt mit einer Lösung von essigsaurer Thonerde, Borlösung oder Kal. hypermangan. ausgespült werden.

Vor Operationen in der Bauchhöhle ist es zweckmässig, die Bauchdecken einige Stunden lang (über Nacht) mit einem antiseptischen Umschlag zu bedecken.

Vor Operationen in der Gegend des Afters und der Geschlechtstheile muss der Darm, wenn möglich, schon mehrere Tage vorher, durch Abführmittel, Clystire und Ausspülungen gründlich entleert werden. Bei Beginn der Operation wischt man die Schleimhaut trocken ab und betupft sie dann mit

Borlösung.. Doch lassen sich Schleimhäute überhaupt nicht vollkommen desinficiren; stark wirkende giftige Mittel (Carbol, Sublimat) darf man hier wegen der Resorptionsgefahr nicht anwenden.

Sind auf dem Operationsfeld Krusten oder Borken vorhanden, so werden sie mit einem in Aether oder Terpentinöl getauchten Watteballen abgerieben; geschwürige Stellen oder Granulationen müssen mit dem scharfen Löffel abgeschabt werden; darnach desinficirt man die Wundfläche mit Jodoformäther, 8 $^0/_0$ Chlorzinklösung, Jodoformpulver oder mit dem Thermokauter. Da diese Massregeln schmerzhaft sind, so nimmt man sie erst vor, nachdem die Chloroformnarkose eingetreten ist.

Fig. 21.

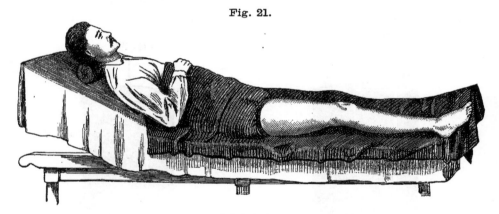

Schutzdecke.

Auf dem mit einer Gummidecke belegten Operationstisch liegt der Kranke mit mässig erhöhtem Kopf und Oberkörper, am besten ganz nackt. Bei lange andauernden Operationen (Laparotomien) schützt man ihn vor Abkühlung, indem man ihn auf ein warmes Wasserkissen lagert oder die Beine mit Wattebinden umhüllt (Dammoperationen). Auch kann man ihn mit eben sterilisirten wollenen Jacken oder Hosen bekleiden. Wird während der Operation viel Spülflüssigkeit verwendet, so muss man darauf achten, dass der Kranke nicht während der ganzen Zeit im Nassen liegt. Für diesen Zweck sind Operationstische, welche in der Mitte mit einem Spalt oder Abflusstrichter versehen sind, zweckmässig (Juillard, Hagedorn, v. Bergmann).

2*

Nach Desinfection des Operationsfeldes wird der Kranke vollständig mit frisch sterilisirten leinenen Tüchern bedeckt, so dass nur die Operationsstelle freiliegt.

Auch kann man hierzu grosse Kautschukdecken verwenden, die zuvor gründlich mit Carbollösung abgewaschen sind. Für Operationen an den Extremitäten hat die Decke ein Loch, durch welches das Glied hindurchgesteckt wird (Fig. 21). Bei Operationen im Gesicht und am Hals umwickelt man die Kopfhaare mit einer Binde oder setzt dem Kranken eine Badekappe aus Gummi auf.

Reinheit der Verbandstoffe.

Wie alles, was mit der Wunde in Berührung kommt, steril sein soll, so muss auch der am Ende der Operation angelegte **Verband keimfrei** sein. Ueber die verschiedenen Arten der Verbandstoffe s. u.

Fig. 22.

Fig. 23.

Dampfsterilisator nach Budenberg.   Dampfsterilisator nach Schimmelbusch.

Man erreicht die Sterilisation am schnellsten und sichersten durch Einwirkung des **strömenden gesättigten Wasserdampfes**. Eine Reihe von Sterilisationsapparaten sind zu diesem Zwecke angegeben worden: Den grössten Anforderungen entspricht der Desinfector von Rietschel & Henneberg. Für kleinere Verhältnisse sind handlichere praktische Apparate erdacht, bei deren Einrichtung es hauptsächlich darauf ankommt, dass der

Dampf unter einem gewissen U e b e r d r u c k steht und die Dampf-
dichte überall gleich ist, wodurch die übermässige Durchnässung
der Verbandstoffe vermieden wird (Fig. 22, 23). Lässt man
in diesen Apparaten die zu sterilisirenden Stoffe eine
halbe bis ganze Stunde vom Dampfe durchströmen, so sind
sicher alle pathogenen Keime ungefährlich geworden. Bei
geringem Bedarf genügt übrigens vollkommen ein gewöhnlicher Dampfkochtopf nach K o c h. Dieser besteht aus einem
walzenförmiges Gefäss, in welches 1—2
Liter Wasser gefüllt werden; etwa hand-
breit über der Oberfläche des Wassers befindet sich ein Drahtnetz, auf welches
die Verbandstoffe gelegt werden. In dem
Wasser können dann zugleich die Instrumente gekocht werden. Da der Dampf-
druck in diesem Apparat aber nur gering
ist, so muss n a c h völliger Dampffüllung
des Apparates die Sterilisation · m i n ·
d e s t e n s $^1/_4$—$^1/_2$ Stunde fortgesetzt
werden. Bei dem nach Art des P a p i n ·
schen Topfes eingerichteten Sterilisator von
L e n t z (Fig. 24) lässt sich durch aufge-
setzte Belastungsscheiben *(E)* ein grösserer
Ueberdruck und eine Hitze von 110 ^{0} C.
erreichen. Das Gefäss *B* enthält das
Wasser mit den Instrumenten, der Cylinder
C nimmt die Verbandstoffe auf.

Fig. 24.

Dampfsterilisator nach Lentz.

Bis vor kurzem sterilisirte man in
grossen Apparaten alle Stoffe in grösserer
Menge und hielt sie in gut verschlossenen Glasschränken in be-
sonderem Zimmer für längere Zeit vorräthig. Bedeutend sicherer
in Bezug auf die Sterilität und nicht viel unbequemer ist es indessen, jedesmal vor der Operation alle bei derselben zu ver-
brauchenden Stoffe in dem Operationszimmer selbst zu sterilisiren,
wo sie unmittelbar aus dem Dampf auf die Wunde kommen;
der Apparat steht dann in der Nähe des Operationstisches und
ist am zweckmässigsten gleich so gross, dass nicht nur die Gaze,
Polster, Binden, sondern auch die Tupfer und die zur Bedeckung
des Patienten dienenden Tücher in ihm Platz finden können.

Die Ausführung einer aseptischen Operation

gestaltet sich nach diesen Vorbereitungen sehr einfach. Der zuvor gebadete Kranke wird auf den Operationstisch gebracht und narkotisirt, darauf das Operationsfeld rasirt, energisch gereinigt und ringsherum mit sterilisirten Tüchern umgeben. Während dieser Zeit hat sich der Operateur mit seinen Gehülfen desinficirt; die Instrumente sind aus dem kochenden Wasser herausgenommen und auf einem sterilisirten Tuche ausgebreitet. Die zur Operation bestimmten Tupfer und Schwämme liegen in einer grossen mit sterilisirtem Salzwasser (0.6 %) gefüllten Schale zur Seite des Gehülfen. Der Chirurg sucht sich die bequemste Stellung aus, der Gehülfe stellt sich ihm gegenüber, ein anderer Gehülfe reicht die verlangten Instrumente und fädelt die Nadeln ein. Nachdem der Hautschnitt gemacht ist, dringt man schichtweise in die Tiefe, wobei zur genaueren Uebersicht des Operationsfeldes ein sehr grosser Werth auf geschicktes **Abwischen des Blutes** zu legen ist.

Operirt man unter künstlicher Blutleere an den Gliedern, so ist das Abtupfen des Blutes nur sehr selten nöthig. In weniger blutreichen Gegenden am Rumpf genügt es, hin und wieder das Blut abzuwischen. Handelt es sich aber um sehr heikle Operationen in blutreichen Gegenden, z. B. Auslösung von Drüsen am Halse, so muss das Tupfen mit besonderer Sorgfalt geschehen, wenn es dem Chirurgen das Erkennen der einzelnen Theile, auf welche es ankommt, erleichtern soll. Zwischen jedem Schnitt muss das Blut durch rasches S t r e i c h e n mit dem Schwamme entfernt werden. Ebenso, wenn es darauf ankommt, die ganze Wundfläche zu übersehen. Durch T u p f e n hingegen macht man kleinere Stellen blutfrei, je nachdem der Gang der Operation dieses erfordert. Hauptsache bleibt es für den Gehülfen, seine Thätigkeit so einzurichten, dass er den Operateur nicht am Schneiden oder gar am Sehen durch unzweckmässiges Halten des Schwammes hindert. („Am Tupfen erkennt man einen guten Assistenten".) Blutungen aus kleineren Gefässen stehen meist durch etwas längeren Druck mit dem Schwamm, andernfalls müssen sie mit einem Schieber gefasst und unterbunden werden. Ziehen grössere Gefässe über das Operationsfeld hinweg, so werden sie am besten vor der Durchschneidung mit zwei Schiebern gefasst, zwischen denselben durchschnitten und beiderseits unterbunden. Muskeln, Sehnen und Nerven werden möglichst geschont und zur Seite

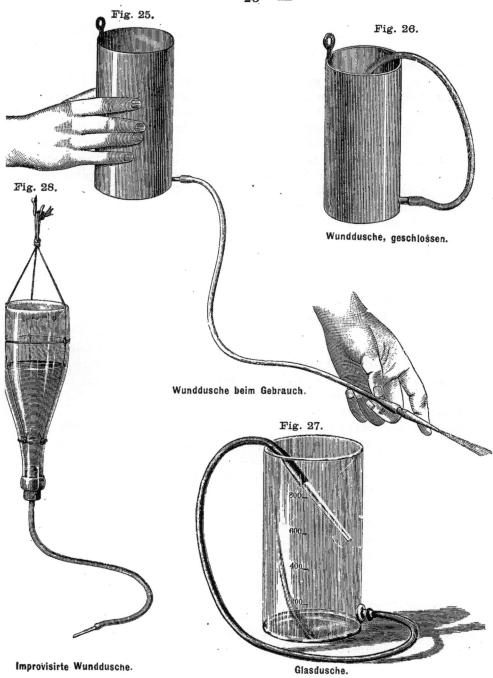

Fig. 25.

Fig. 26.

Wunddusche, geschlossen.

Fig. 28.

Wunddusche beim Gebrauch.

Fig. 27.

Improvisirte Wunddusche.

Glasdusche.

geschoben; lässt sich ihre Verletzung aber nicht vermeiden, so näht man die entsprechenden Enden nach der Operation wieder zusammen.

Gespült wird garnicht, da in den weitaus meisten Fällen keine krankhaften Flüssigkeiten aus den Wunden zu entfernen sind. Grössere Mengen Blut werden durch einen kräftigen Strich mit dem Schwamm herausgewischt. Sollte indessen eine Spülung wünschenswerth erscheinen, so bedient man sich der **Wunddusche,** (Irrigator von Esmarch 1858) eines Gefässes von Blech oder Glas, an dessen unterer Ausflussöffnung ein mit einer Glasspitze versehener Gummischlauch befestigt ist. Die Kraft des Strahles wird durch den Druck der beiden den Schlauch haltenden Finger und durch Heben oder Senken des Gefässes geregelt. Der Verschluss erfolgt durch Versenken der Spitze in das Gefäss: ein Hahn ist unnöthig (Fig. 25—27).

Hat man keine Dusche, so hilft man sich dadurch, dass man einer Weinflasche den Boden ausschlägt, einen Gummischlauch durch den durchbohrten Korken steckt und die umgekehrte Flasche vom Boden aus füllt (Thiersch Fig. 28).

Fig. 29.

Wassersterilisator nach Fritsch.

Einfacher sind gewöhnliche Kannen (aus Glas), aus deren Schnabel man die Flüssigkeit langsam über die Wunde rieseln lässt.

Als Spülflüssigkeit dient sterilisirtes (gekochtes) Wasser, dem etwas Kochsalz (v.6 %) zugesetzt ist. Für den Bedarf grösserer Mengen sterilen Wassers empfiehlt sich der Apparat nach Fritsch (Fig. 29).

Zum Auffangen des abfliessenden Wassers dienen verschieden geformte Schalen (Eiterbecken), aus Blech, Hart-Kautschuk oder Glas verfertigt, deren Ränder sich der Körperoberfläche gut anschmiegen (Fig. 30, 31).

Beim Wechseln der Eiterbecken schiebt man das leere unter das gefüllte, damit man letzteres immer im Auge behält und nichts von dem Inhalt verschüttet. Der Inhalt des gefüllten muss sofort in einen Sammeleimer ausgegossen werden.

Daran aber ist festzuhalten, dass man so viel wie möglich **trocken operirt.** Zum Schluss muss die ganze Wundfläche nochmals auf kleinere übersehene Blutgefässe geprüft und jede

Blutung sehr sorgfältig gestillt werden, ehe man die Wunde schliesst: Drainage ist dann in den meisten Fällen unnöthig. Grosse Wundhöhlen verkleinert man durch versenkte Nähte, nöthigenfalls tamponirt man zeitweilig. Die Hautwunde wird in ganzer Ausdehnung vernäht.

Fig. 30.

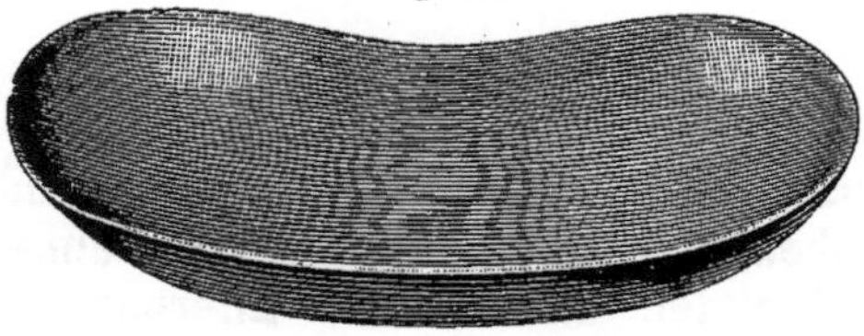

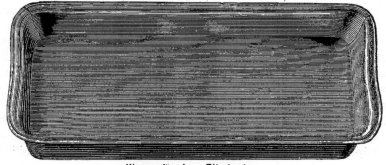

Nierenförmiges Eiterbecken.

Fig. 31.

Wannenförmiges Eiterbecken.

Als Verband dient ein Bausch steriler Krüllgaze, über den eine Lage Watte oder ein Polster mit einer Binde befestigt wird.

Dieser Verband bleibt bis zur Heilung ruhig liegen. Bei seiner Abnahme (nach 10—12 Tagen) findet sich die Wunde strichförmig verheilt, die Catgutfäden sind meist aufgesogen, so dass deren Knoten am Verbande kleben bleiben; Seiden- und Metallnähte werden entfernt und die kleinen Stichöffnungen mit wenig Gaze und einem leichten Schutzverbande bedeckt.

Diese Art der Wundbehandlung, die „ideale Asepsis", lässt sich aber nur unter den günstigsten Verhältnissen und in gut ausgestatteten Krankenhäusern ausführen; sie erfordert grosse kostspielige Einrichtungen und ein durch lange Uebung trefflich geschultes Personal, so dass bei genauer Befolgung der gegebenen Massregeln volle Gewähr dafür geleistet werden kann, dass in der langen Kette des aseptischen Apparats keine Lücke sich findet.

Um daher auch unter etwas weniger günstigen Umständen eine gute Wundheilung zu erzielen, wendet man neben den aseptischen Massregeln auch noch antiseptische an.

Antisepsis.

Die Antisepsis bezweckt die Vernichtung oder wenigstens die Entwicklungshemmung aller infectiösen Keime, welche sich in der Wunde einnisten und Fieber, Eiterung, Fäulniss hervorrufen können.

Ihre Anwendung setzt also das Vorhandensein oder ·auch nur den Verdacht oder die Möglichkeit einer Infection der Wunde voraus.

Es giebt eine Reihe von Stoffen, welche diese Infectionskeime abzutödten und die durch sie bedingten Folgezustände zu beseitigen vermögen **(Antiseptica)**. Das Verdienst, von den früher schon bekannten ähnlichen Stoffen einen, die Carbolsäure, bewusst und planmässig bei Operationen und Verbänden angewandt zu haben, gebührt Joseph Lister, dem Begründer der antiseptischen Heilmethode (1865—70), welche den grossen Umschwung in der modernen Chirurgie hauptsächlich bedingt hat und durch ihre glänzenden und sicheren Erfolge die Chirurgen zu dem kühnen Vorgehen in Krankheitsfällen, die früher für unantastbar galten, ermuthigte.

Während die Asepsis nur unter ganz bestimmten günstigen, äusseren Bedingungen erfolgreich durchgeführt werden kann, ist die antiseptische Wundbehandlung überall, auch in den ärmlichsten Verhältnissen, von Erfolg: durch sie kann der praktische Arzt selbst auf dem Lande einen guten Heilerfolg erzwingen in Fällen, die ohne sie hoffnungslos wären oder zur Erhaltung des Lebens eine Verstümmelung der Glieder (Amputation) nothwendig machen würden.

Lister gebrauchte fast ausschliesslich die Carbolsäure; im Laufe der Zeit sind aber durch unermüdliche Forschung noch eine ganze Reihe ähnlich oder besser wirkender Stoffe gefunden worden, welche die Eigenschaft haben, Microorganismen und auch deren Sporen zu vernichten. oder doch wenigstens so in der Entwicklung zu hemmen, dass sie · der Wunde nicht schaden können. Viele dieser Stoffe haben auch für den Menschen giftige Nebenwirkungen, einige sind ganz ungiftig; einige eignen sich zur Anwendung in Lösungen, andere besser als Pulver, zur Durchtränkung der Verbandstoffe, zur Bespülung oder Einreibung der Wundfläche, zur Bereitung des Nähmaterials, zur Desinfection der Haut u. s. w.

Die antiseptischen Lösungen.

Die **Carbolsäure** Phenolsäure, C_6H_6O, (Lister), ein sehr wirksames Antisepticum, stellt in wasserfreiem Zustande farblose Crystallnadeln dar, ist flüchtig und wirkt stark ätzend; daher darf sie nur in Lösungen angewandt werden. Eine wässrige Lösung von 1 : 1000 hemmt bei länger dauernder Einwirkung die Entwickelung der Spaltpilze; ganz aufgehoben wird dieselbe aber erst durch die 24stündige Einwirkung der concentrirten Lösung von 5 : 100, die Sporen (Keime) werden jedoch dadurch nicht getödtet. Lösungen in Oel oder in Spiritus haben nach Koch keine antiseptische Wirkung.

Sie wird gebraucht:

a) als schwaches Carbolwasser (3 : 100) zum Desinficiren der Hände, der Instrumente, der Haut in der Umgebung der Wunde, der Wunde selbst, der Schwämme und der Luft (Carbolspray);

b) als starkes Carbolwasser (5 : 100) zum Desinficiren septischer Wunden, wobei aber schon ein leichter, weisslicher Aetzschorf entsteht, und reichlichere Secretion hervorgerufen wird.

c) als Carbolglycerin 5—10 $^0/_0$ zur Desinfection von Instrumenten.

d) zum Durchtränken von Verbandstoffen, namentlich des Mulls (Listergaze, Carbolmull).

Da die Carbolsäure sehr flüchtig ist und der Gehalt an Carbolsäure in den imprägnirten Stoffen durch Verdunstung sehr rasch abnimmt, so ist es rathsam, dieselben immer erst kurz vor dem Gebrauche zu imprägniren.

Carbolgaze macht man nach von Bruns auf folgende Weise:

Man nimmt 400 g fein gepulvertes Colophonium und setzt der Reihe nach je 100 g Spiritus und Carbolsäure und 80 g Ol. ricini (oder 100 g geschmolzenes Stearin) hinzu. Die Mischung

wird umgerührt, bis sie eine gleichmässige, leicht krümelige Extract-
consistenz besitzt, und sofort in einem luftdicht geschlossenen
Gefässe aufbewahrt. Beim Gebrauche wird die Mischung in 2 Liter
Spiritus unter fortgesetztem Umrühren gelöst. Hierauf geschieht
die Tränkung der Gaze so, dass man die Mischung über 1 kg
Mull ausgiesst, welcher in einer flachen Schale ungeordnet ausgebreitet ist und die Mischung begierig aufsaugt. Zum Zweck einer
gleichmässigen Vertheilung hat man die Gaze 2—3 Mal von einem
Ende zum andern auszuwringen (3—5 Minuten lang) oder sie
durch eine Wringmaschine gehen zu lassen. Schliesslich wird der
Verbandstoff zum Trocknen aufgehängt, doch nur möglichst kurze
Zeit, d. h. bis der Spiritus sich grösstentheils verflüchtigt hat,
also im Sommer und im Freien etwa 5 Minuten, im Winter und
in einem mässig erwärmten Raume 10—15 Minuten. — Der
Verbandstoff wird in geschlossenen Blechkästen aufbewahrt.

Die Carbolsäure ist aber giftig, nicht blos bei innerer,
sondern auch bei äusserer Anwendung, da sie selbst durch die
unverletzte Haut hindurch rasch resorbirt wird.

Die Vergiftungserscheinungen sind in leichten Fällen Kopfschmerz, Schwindel, Ohnmacht, Ohrensausen, Erbrechen, unregelmässige
Athmung, Kleinheit des Pulses, olivengrüne Färbung des Urins (Carbolurin durch Phenolschwefelsäure). In schweren Fällen tritt Bewusst-
losigkeit verbunden mit Muskelzuckungen auf, die Pupillen werden ver-
engt, reactionslos, der Puls kaum fühlbar, ausserdem stellen sich Harn-
beschwerden (Dysurie, Anurie, Albuminurie), Darmblutungen u. s. w. ein.
Bei längerer Anwendung, selbst kleiner Mengen, zeigt sich Marasmus,
verbunden mit Kopfschmerz, Mattigkeit und vermindertem Appetit. Auf
die Haut wirkt sie heftig reizend und ruft Eritheme und Eczeme, oft
mit Fieber, hervor; so kann die Umgebung einer Wunde noch durch
das Carbol stark angegriffen sein, während die Wunde selbst geheilt ist.
Besonders lästig und quälend äussert sich die Hautreizung aber an den
Fingern und Händen von manchen Aerzten, welche viel mit dem Mittel
arbeiten.

Starke Lösungen wirken auf die Wundflächen ätzend ein und reizen
dieselben zu stärkerer Secretion.

Nachweis: Carbolurin giebt mit Eisenchlorid violette, beim Er-
wärmen mit Millon's Reagens purpurrothe, mit unterchlorigsaurem
Natron dunkelblaue Farbe und mit Bromwasser einen Niederschlag von
Tribromphenol; oder: Man zieht das Carbol des Urins mit Aether aus,
giesst das oben schwimmende Aetherextract ab, taucht in dieses ein
Weichholzstäbchen (z. B. Tannenholz), das man nachher in Salzsäure-
lösung (Acid. mur. 50,0 Aq. destill. 50,0, Cal. chlor. 0,20) taucht und
darauf einige Zeit dem Sonnenlicht aussetzt. Schon bei $^1/_{6000}$ Carbol-
gehalt färbt sich das Stäbchen blau. (Hoppe-Seyler, Tomasi.)

Die Behandlung der Carbolvergiftung besteht vor allem in sofortigem Aussetzen des Mittels, wenn es als Wundverband angewendet wurde. Innerlich giebt man Zuckerkalk, Eiweiss, Milch, Natrium- und Magnesiumsulphat (5 %). Gegen die einzelnen Erscheinungen muss symptomatisch mit analeptischen und stimulirenden Mitteln vorgegangen werden.

Trotz ihrer vielen Unannehmlichkeiten hat sich die Carbolsäure doch bis in die neueste Zeit als höchst zuverlässiges Antisepticum an der Spitze aller anderen Mittel behauptet.

Aehnlich, ja sogar besser, als sie, sollen zwei ebenfalls aus dem Steinkohlentheer hergestellte Mittel, das **Creolin** und das **Lysol** wirken. Beide enthalten als wirksame Stoffe eine Reihe von Cresolen, sind aber keine reinen Präparate. Das **Creolin** bildet mit Wasser milchige Lösungen und wirkt etwa dreimal so stark, als die Carbolsäure; es wird in 1—2 % Lösungen gebraucht und befördert die Granulationsbildung und Heilung sichtlich. Das **Lysol** ist eine seifige Flüssigkeit, welche etwa dieselben Bestandtheile wie das Creolin enthält; es giebt mit Wasser ziemlich klare Lösungen, die schon zu 0,3—2 % antiseptisch wirken. Beide Mittel sind bei ihren hohen antiseptischen Eigenschaften aber u n - g i f t i g und eignen sich daher ganz besonders für die Fälle, wo man gezwungen ist, die Wundbehandlung vorübergehend Laien zu überlassen. Das Solveol (Hammer), eine Cresolverbindung, wirkt schon in 0,5 % Lösungen stärker, als 5 % Carbollösung auf Bacterien ein. Es ist brauchbar in Lösung von 37 : 500—2000.

Das **Sublimat** (Koch, v. Bergmann) ($HgCl_2$, Hydrargyrum bichloratum corrosivum) ist das kräftigste, aber auch das giftigste aller gebräuchlichen Desinfectionsmittel. Nach Koch werden die Sporen des Milzbrand-Bacillus durch eine Lösung von 1 : 20 000 Wasser getödtet, während ihre Entwickelung schon durch eine Lösung von 1 : 300 000 Wasser gehemmt wird.

Es ist weiss, krystallinisch, geruchlos und nicht theuer.

Da das Sublimat durch Berührung von Metallen sofort zersetzt wird, so kann es weder zur Desinfection der Instrumente verwendet, noch in metallenen Gefässen aufbewahrt werden. Die Irrigatoren für Sublimatlösungen müssen daher von Glas, die Schalen von Glas, Emaille, Porcellan oder gefirnisster Pappe hergestellt sein.

Man gebraucht es:

a) in schwacher wässriger Lösung von 1 : 5000 zum Desinficiren der Hände, der Wundgegend, zum Tränken der Tupfer

und Schwämme und zum Abspülen der Wunden mittelst der Wunddusche vor Anlegung der Wundnaht;

b) in starker wässriger Lösung von 1 : 1000 zur energischen
Ausspülung septischer Wunden, wo es viel sicherer wirkt und
weniger gefährlich ist, als die 5 % Carbollösung;

c) in spirituöser Lösung von 1 : 1000 zur Aufbewahrung von
Catgut, Seide, Schwämmen und Drainröhren;

d) zur Bereitung von Verbandstoffen. Mit einer Lösung
von 1,0 Sublimat und 100,0 Kochsalz in 40,0 Glycerin und 1000,0
Wasser begiesst man die Stoffe, presst die überschüssige Flüssigkeit mit den Händen oder einer Wringmaschine aus und lässt die
Stoffe bei mässiger Wärme trocknen; oder: Man durchtränkt Gaze
mit einer Lösung von 10 Th. Sublimat, 500 Th. Glycerin, 1000
Th. Alcohol in 1500 Th. Wasser (Sublimatgaze, von Bergmann). Schede gebraucht eine Lösung von 1 Th. Sublimat,
10 Th. Glycerin und 90 Th. Wasser. Nach der Kriegs-Sanitäts-
Ordnung von 1886 benutzt man zur Herstellung von Sublimatmull
eine Lösung von 5 g Sublimat, 500 g Spiritus, 750 g Wasser,
250 g Glycerin, 0,05 g Fuchsin, welche für 40 m Mull ausreicht.

Da wässrige Lösungen und damit getränkte Stoffe bisweilen
die Haut stark reizen, auch das Sublimat sich nach einiger Zeit
aus den damit imprägnirten Stoffen verflüchtigt (Lazarski), so
hat Lister vorgeschlagen, das Sublimat mit Pferdeblutserum zu
mischen (1 : 100) und damit den Mull zu tränken (Sublimat-
serumgaze). Es verliert dadurch seine reizenden, aber nicht
seine antiseptischen Eigenschaften.

Das Sublimat verbindet sich mit dem Eiweiss der alkalischen
Wundsecrete zu Quecksilberalbuminat, wodurch die Wirksamkeit der Lösungen bedeutend geschwächt wird. Um dieses zu
verhüten und das Sublimat in Lösung zu erhalten, hat man
geringe Mengen von Säuren (z. B. Weinsäure) denselben hinzugefügt und die Lösung (1,0 Sublimat, 5,0 Weinsäure, 1000 g
Wasser) zur Durchtränkung der Gaze benutzt (Sublimat-
weinsäure-Gaze, Laplace).

Will man aber die giftige Wirkung des Sublimats herabsetzen,
so fügt man der Lösung Kochsalz hinzu, welches die Bildung
des Sublimateiweisses befördert, zugleich aber die Aufsaugekraft
der Verbandstoffe beträchtlich erhöht. Die Sublimat-Koch-
salz-Gaze bereitet Maas, indem er 1000 g Gaze mit 500 g
Kochsalz, 150 g Glycerin und 1 g Sublimat durchtränkt.

Ausserdem verbindet sich das Sublimat zum grossen Theil mit den in gewöhnlichem Wasser stets enthaltenen erdigen Bestandtheilen. Die Lösungen müssen daher stets mit destillirtem Wasser hergestellt werden. Ein Zusatz von Kochsalz verhindert diese Ausfällung. Für die schnelle Bereitung von Sublimatlösungen ausser dem Hause in der Praxis sind daher sehr bequem und äusserst zweckmässig die von Angerer mit Hülfe von Kochsalz hergestellten **Sublimatpastillen** (enthaltend 1 g Sublimat und 1 g Kochsalz). Dieselben sind mit Eosin gefärbt, um Verwechselungen zu verhüten. Ueberhaupt empfiehlt es sich, alle Sublimatlösungen durch eine bestimmte Färbung besonders kenntlich zu machen, da sonst leicht Vergiftungen durch Versehen hervorgerufen werden können.

Die Vergiftungserscheinungen durch diese giftigste aller Quecksilberverbindungen äussern sich local durch Jucken, Brennen und Reizung der Haut (Eczeme, Schrunden) besonders bei feucht angelegten Verbänden; ferner treten auf: Schwindel, Unruhe, Mattigkeit, Erbrechen, Entzündung der Mundschleimhaut mit Speichelfluss und Blutungen aus dem Zahnfleisch, Darmblutungen, blutige Durchfälle, Colitis, Proctitis, Tenesmen, Nierenentzündung mit Verfettung und Verkalkung der Harncanälchen, welche in nicht seltenen Fällen zum Tode führt.

Die Behandlung der eingetretenen Vergiftung besteht neben sofortigem Aussetzen des Mittels in Darreichung von Milch, Eiweiss, Bädern und ist im Uebrigen symptomatisch: Gurgelungen mit Kali chloricum bei Munderscheinungen, Reizmittel bei Schwäche.

Das **Chlorzink** $ZnCl_2H_2O$ (Lister) ist ein mässig kräftiges Antisepticum, greift die unverletzte Epidermis nicht an, wirkt aber ätzend auf die übrigen Gewebe des Körpers, ist geruchlos, nicht giftig und nicht theuer. Es dient:

a) in starker (8 %) wässriger Lösung (Lister) zur energischen Desinficirung septischer und im Zerfall begriffener Gewebe, bei vorhandener Jauchung putrider Eiterung etc.;

b) in concentrirter Lösung (aa mit Wasser), mit welcher Wattetampons getränkt werden, als vorzügliches Aetzmittel bei Brand (König);

c) in schwacher Lösung (0,2 %) zu antiseptischen Umschlägen und zur Imprägnirung von Verbandstoffen (Jute, Gaze);

d) als trockene Chlorzinkjute 5—10 % (Bardeleben) zu antiseptischen Verbänden, welche sehr billig sind. Man löst 100,0 Chlorzink in 1250,0 ($1\frac{1}{4}$ Liter) heissem Wasser und knetet damit 1000,0 Jute so lange, bis alle Flüssigkeit eingezogen ist. Dann wird die Jute ausgebreitet und an der Luft oder auf dem Ofen getrocknet.

Die **Borsäure** BO_3H_3 (Lister) ist ein mässig starkes Antisepticum, welches in einer Verdünnung von 1 : 136 die Entwicklung der Spaltpilze hemmt, die Gewebe wenig oder garnicht reizt, auch keine giftigen Eigenschaften besitzt; sie ist in kaltem Wasser schwer (1 : 30) in heissem aber leicht löslich.

Sie wird verwendet:

a) in wässriger Lösung (3,5 : 100), statt der Carbol- und Sublimatlösungen, bei Operationen in der Bauchhöhle, am Mastdarm u. s. w. auch zu demselbem Zweck mit Zusatz von Salicylsäure nach Thiersch (2 g Salicylsäure, 12 g Borsäure, 1000 g Wasser);

b) als Borlint zum Bedecken kleiner Wunden, namentlich im Gesicht sehr brauchbar; wird dargestellt durch Eintauchen von englischer Charpie (lint) in eine Lösung von 1 Th. Borsäure in 3 Th. kochendem Wasser; ebenso wird die Borwatte und Borgaze angefertigt.

c) als Borsalbe zur Bedeckung von genähten Wunden, bei welchen sich ein grosser antiseptischer Verband nicht gut anlegen lässt, z. B. nach plastischen Operationen im Gesicht, ferner zur Bedeckung kleiner granulirender Wunden.

Die Lister'sche Borsalbe wird dargestellt aus: Acid. borici pulv. Cerae alb. aa 5,0. Ol. amygd. dulc. Paraffini aa 10,0. Besser, weil einfacher und haltbarer, ist eine Mischung von 20 Th. Borsäure mit 100 Th. Vaselin oder Ung. Glycerini oder das Boroglycerinlanolin (Graf).

Das Natrium tetraboricum (Jaenicke) ist leichter löslich und darum wirksamer als die Borsäure und kann in Lösungen von 15—70 $^0/_0$ gebraucht werden. Es ist reizlos und ungiftig.

Die **essigsaure Thonerde** (Burow) (Aluminium aceticum) ist ein sehr kräftiges Antisepticum, da sie in 2,5 $^0/_0$ Lösung nicht nur die Entwickelung der Spaltpilze hemmt, sondern auch nach einer Einwirkung von 24 Stunden das Fortpflanzungsvermögen derselben aufhebt (Pinner). Sie beseitigt rasch üble Gerüche von Wunden und Hautsecreten, ist nicht giftig und nicht theuer, lässt sich aber nur in flüssiger Form verwenden, weil beim Trocknen die Essigsäure verdunstet und nur das unwirksame Thonerdehydrat übrigbleibt. Da sie die Instrumente angreift und die Hände rauh macht, so ist die Anwendung derselben bei

Operationen nicht zweckmässig, obwohl sie als kräftiges Adstringens die capillare Blutung beschränkt und deshalb zum Tränken der Tupfer nicht übel ist.

Eine 1 % Lösung wird bereitet durch Mischung von 24,0 Alaun und 38,0 · Bleizucker mit 1 Liter Wasser, welche man 24 Stunden stehen lässt und dann filtrirt.

Sie wird verwendet als wässrige Lösung von 0,5 % — 1 %, mit welcher Mullcompressen getränkt werden, zu Umschlägen und zu reinigenden warmen Bädern, bei eiternden und jauchenden, stinkenden Wunden und Geschwüren, bei Eczemen und übelriechenden Schweissen (Achselhöhle, After, Scrotum) und eignet sich vor allen Antisepticis am besten zur permanenten Irrigation bei jauchiger Phlegmone und Gangrän.

Noch kräftiger wirkt die **essigweinsaure Thonerde** (Aluminium aceticotartaricum), welche sich weniger leicht zersetzt und nur wenig die Wundflächen ätzt. Man benutzt sie in 1—3 % Lösungen. Das **essigsaure Blei** (Plumbum aceticum), ein mässiges Antisepticum, welches in Lösung von 1 : 20 pilztödtend wirkt, wird heute lange nicht mehr so häufig angewendet, als früher, wo es als Aqua Goulardi, Bleiwasser, zur Behandlung von Wunden und Entzündungen vielfach gebraucht wurde.

Die **Salicylsäure** $C_7H_6O_3$ (Thiersch), ein starkes Antisepticum, reizt die Wunden wenig, ist nicht giftig, aber verstäubt leicht aus den Verbandstoffen, reizt zum Husten und Niesen und ist nicht billig.

Sie wird verwendet in Lösungen (1 : 300) zum Berieseln der Wunden, am besten mit Borsäure gemischt, wodurch ihre Löslichkeit erhöht wird, wirkt als Emulsion (1 : 5 Wasser) oder als Salicylsalbe (10 % mit Vaselin oder Glycerinsalbe) ausgezeichnet bei Carbol- und Sublimat-Eczem.

Als Salicylwatte und -Jute (3 % und 10 %), frisch bereitet, wurde sie früher viel angewendet, ist aber für die Praxis nicht zu empfehlen, weil die Salicylsäure beim Transport aus der Watte herausfällt und die mit ihr durchtränkten Stoffe nicht gut aufsaugen.

Die **Chromsäure** C_3O_3 (Lister) ist ein sehr starkes Antisepticum und zwanzigmal wirksamer als Carbol, aber sehr giftig und stark ätzend. Sie wird daher in der Wundbehandlung garnicht gebraucht, sondern nur bei der Bereitung des Catguts, welches

Lister in eine Lösung von 1 Th. Chromsäure, 200 Th. Car‛bolsäure und 4000 Th. Wasser legte.

Das **Thymol** $C_{10}H_{14}O$, (Ranke) ist ein gutes Antisepticum, ·da schon eine Emulsion von 1 : 200 die Spaltpilze tödtet, eine Lösung von 1 : 2000 ihre Entwickelung hemmt; es riecht angenehm, reizt die Haut wenig, beschränkt die Secretion der Wunden und ist wenig giftig, aber theuer.

Es wird gebraucht als wässrige Lösung von 1 : 1000 mit Zusatz von 10 Th. Alkohol und 20 Th. Glycerin, und als Thymolmull, dargestellt durch Tränkung von 1000 Th. Mull mit 500 Th. Cetaceum, 50 Th. Harz und 16 Th. Thymol.

Bei Verbrennungen wirkt ein Zusatz von 1 % Thymol zu dem allgemein gebräuchlichen Brandliniment (Ol. Lini und Aqua Calcariae aa) schmerzlindernd und antiseptisch. Auch als Mundspülwasser ist eine 1 $^o/_{oo}$ Lösung sehr zu empfehlen.

Das **hypermangansaure Kali** ist leicht löslich, nicht theuer, nicht giftig und ein ziemlich kräftiges Antisepticum, da es schon in 5 % Lösung Dauersporen tödtet und nach kurzer Bespülung den Gestank fauliger Wunden ganz beseitigt. Aber seine Wirkung ist nur von kurzer Dauer, weil es durch das Wundsecret sofort zersetzt wird und mit demselben schleimige braune Niederschläge bildet, welche alsbald wieder üblen Geruch verbreiten.

Es wird gebraucht in wässriger Lösung, rothweinfarbig bis dunkelroth (1 : 1000—100), je nach dem Grade der Fäulniss (Condy's fluid.) Viel angewandt ist es auch als Mundwasser zur Desodorirung und Desinfection der Mundhöhle und cariöser Zähne.

Die **Benzoësäure** (Kraske) ein gutes, anscheinend nicht giftiges Antisepticum, wird benutzt in Lösung 1 : 250, welche die Wunde nicht reizt. In alcoholischer Lösung als Tinctur (Tinctura benzoes) war ihre gute Wirkung schon lange bekannt. An Verbandstoffen stellt man her 5 % und 10 % Watte oder Jute.

Das aus der Benzoësäure stammende **Resorcin** wird in 1—2 % Lösungen als gut wirkendes Spülmittel (namentlich bei Cystitis) gebraucht. Ein besserer Ersatz desselben soll das **Benzosol** sein.

Das **Jodtrichlorid** (Langenbuch) ist ein ungiftiges, schon in 1 $^o/_{oo}$ Lösungen wirksames, die Sporen tödtendes Antisepticum, welches in obiger Verdünnung die Wirkung von 4 % Carbolsäure hat.

Das **Trichlorphenol** (Butschik), in 1—10 % Lösung wirksam, wird nur in Russland benutzt. Wenig in Gebrauch ist ferner

das **Creosot,** das in 1$^0/_0$ Lösung als A q u a B i n e l l i bei fötiden
Eiterungen, Empyem u. s. w. angewandt wurde.

Das **Chlor** ist ein sehr starkes Antisepticum und wurde schon
lange vor L i s t e r als **Chlorwasser** (A q u a c h l o r i) zur Reinigung
der Schwämme und zum Berieseln der Wunden benutzt. Ebenso die
Verbindungen des Chlor: die **Salzsäure** ist in 1$^0/_0$ Lösung von mir
schon vor 30 Jahren bei Dauerverbänden viel gebraucht worden.
Der **Chlorkalk** (S e m m e l w e i s s) desinficirt schon in 20facher wässriger
Lösung sehr energisch, er wurde gebraucht zur Desinfection der Verbandstoffe und Wäsche, zur Reinigung brandiger Geschwüre und zum
Uebertünchen inficirter. Wohnräume und Gegenstände. Das **unter-
chlorigsaure Natron** wird in 5—6$^0/_0$ Lösung bei zersetzten Wunden
angewandt (V e r n e u i l). Empfohlen wird ferner das N a t r i u m
c h l o r o b o r o s u m und c h l o r o b o r i c u m in Lösungen und als
Pulver. Das **Kochsalz** (C h l o r n a t r i u m), seit langer Zeit in seiner
fäulnisshemmenden Wirkung (Pökeln) bekannt, reizt in starken
Lösungen die Wunde und macht Schmerzen, in etwa 1—2 $^0/_0$
Lösung kann es zur Reinigung, besonders bei stark eiternden
Wunden benutzt werden. Zur Bespülung frischer aseptischer
Wunden ist jetzt eine 0,6 $^0/_0$ Kochsalzlösung allgemein im Gebrauch
(v. E s m a r c h), deren Kochsalzgehalt demjenigen gesunder Gewebe
entspricht und darum gewissermassen eine p h y s i o l o g i s c h e
S p ü l f l ü s s i g k e i t darstellt. M a a s benutzte die grosse Aufsaugungsfähigkeit des Kochsalzes bei der Herstellung von Sublimatgaze s. S. 31. Das **Chloralhydrat** in 1—2$^0/_0$ Lösung in Verbindung mit Kochsalz ist ein von Manchen sehr geschätztes Mittel
zum Desinficiren septischer Wunden, da das Chloral in hervor-
ragender Weise die Zersetzung faulender Substanzen verhüten kann.
Das **Ferrum sesquichloratum,** früher fast ausschliesslich als Blutstillungsmittel angewendet, hat starke antiseptische Eigenschaften,
verätzt und verschorft aber die Gewebe. In schwachen Lösungen
kann man es zur Durchtränkung von Watte gebrauchen; in sehr
grosser Verdünnung wurde es von K ö b e r l e zum Reinigen der
Bauchhöhle angewandt.

Auch einige S c h w e f e l v e r b i n d u n g e n sind gute Antiseptica. Die **schweflige Säure** ist schon in Verdünnung von 1 : 500
wirksam und ungiftig. In 5 $^0/_0$ Lösungen ist sie zur Dauerspülung,
gasförmig zur Desinfection verunreinigter Räume im Gebrauch.

Alaun, Aseptin (1 Alaun, 2 Borsäure, 18 Wasser), **Cuprum**
und **Zincum sulfuricum,** sind 1 $^0/_0$ zur Irrigation und Aetzung

fressender Wunden dienlich. Das **Zincum sulfocarbolicum** wurde in neuerer Zeit von Bottini empfohlen als gutes und ungiftiges Antisepticum (5 %). Das **Aseptol** ist schon in 2 % Lösung wirksam, nicht reizend, ungiftig und wird meist in 10 % Lösungen gebraucht. Die **Aseptinsäure**, Acidum asepticum, ein kräftiges, ungiftiges, blutstillendes Mittel wird in 5—10 % Lösungen angewandt. Es befördert die Granulationsbildung und Vernarbung.

Rotter stellte ein sehr kräftiges, aber ungiftiges Antisepticum dadurch her, dass er mehrere antiseptische Mittel zu einer Lösung vereinigte, deren jedes einzelne in ganz geringer Menge vorhanden ist, so dass es nicht giftig wirken kann. Dieses **Rotterin**, das auch in Pastillen zu haben ist, enthält in 1 Liter Wasser: Sublimat 0,05, Chlornatrium 0,25, Acid. carbolic. 2,0, Zinc. chlorat., Zinc. sulfocarbolic. aa 5,0, Acid. boric. 3,0, Acid. salicyl. 0,6, Thymol 0,1, Acid. citric. 0,1. Neuerdings erhält man diese Pastillen auch ganz ohne Carbol und Sublimat.

Auch flüchtige Oele, Balsame u. s. w. sind zur Antiseptik benutzt worden, so Campher, Styrax, Perubalsam, Aloë, Terpentin, Tereben, Theer, Petroleum; häufiger in Anwendung sind: Das Eucalyptus-Oel, in welchem der wirksame Bestandtheil, das **Eucalyptol** sehr energisch antiseptisch wirkt, wurde schon von Lister als Ersatz des Carbols angewandt. Eucalyptusmull bereitet man mit 1 Th. Eucolyptusöl, 2 Th. Dammarharz, 3 Th. Paraffin. In alcoholischer Lösung oder Schüttel-Mixtur (0,3 %) zur Berieselung und zu Umschlägen, lässt es die Körpertemperatur rasch sinken (Schulze). Das **Juniperusöl,** ein sehr starkes Antisepticum, wird zur Bereitung des Catgut von Kocher benutzt. Er legt es 24 Stunden in das Oel und dann bis zum Gebrauch in 95 % Alcohol.

Das **Wasserstoffsuperoxyd** (Trommsdorff) ist ein sehr starkes Antisepticum, nicht giftig, in 3 % wässriger Lösung sehr wirksam zur Desinfection fauliger Wunden, wie zur Desinfection von Krankenzimmern. Es ist ein vorzügliches Blutstillungsmittel.

Der **absolute Alcohol** ist als mässig starkes Antisepticum brauchbar zum Desinficiren der Instrumente, namentlich der Messer und Scheeren, deren Schneiden nicht davon angegriffen werden.

Die Anilinfarbstoffe wirken ebenfalls stark antiseptisch; von ihnen wurde eine Zeit lang das Methylviolett als **Pyoktanin** von Stilling sehr empfohlen, scheint aber wenig Anklang gefunden zu haben.

Die antiseptischen Pulver.

Das **Jodoform** CHI_3 (von M o s e t i g - M o o r h of), ein citronengelbes, crystallinisches, eigenthümlich riechendes Pulver, unlöslich in Wasser, leicht löslich in Alcohol, Aether und Oelen, ist kein eigentliches Antisepticum, da es nicht die Bacterien selbst tödtet, sondern erst durch die Zersetzungen, welche diese hervorrufen, (Ptomaine, Toxalbumine) sich spaltet und dann durch das freiwerdende Jod die Stoffwechselproducte der Microorganismen bindet und unschädlich macht und ihre weitere Entwicklung hemmt.

Es reizt die Wundfläche und ihre Umgebung, erzeugt gute Granulationen, besonders bei fungösen Erkrankungen, beschränkt die Secretion sehr erheblich, ist aber giftig, namentlich für Greise, Herz- und Nierenkranke. Sein übler Geruch lässt sich durch Zusatz von Cumarin, Bergamottöl, Sassafrasöl oder Vermengung mit Kaffeepulver mildern oder verdecken.

Das Jodoform wird gebraucht:

a) als S t r e u p u l v e r für frische Wunden, z. B. Quetsch- und Schusswunden, wo eine Heilung per primam intentionem nicht erwartet werden kann, namentlich auch in der Umgebung der natürlichen Körperöffnungen (Mund, After, Scheide), wo eine Infection nicht zu vermeiden ist;

b) als J o d o f o r m ä t h e r (1 : 7) zum Desinficiren des Operationsfeldes;

c) als J o d o f o r m ä t h e r a l c o h o l (1 : 2 : 8) (de R u y t e r) zur Einreibung auf schlecht granulirende, besonders tuberculöse Wunden;

d) als J o d o f o r m g l y c e r i n (10—20 : 100) zur Injection in punktirte kalte Abscesse;

e) als J o d o f o r m c o l l o d i u m (1 : 9) zum Schutz kleiner, völlig vernähter Wunden (z. B. als Verband nach Herniotomie K ü s t e r);

f) als J o d o f o r m s t ä b c h e n (Jodoform 20,0 Gummi arab., Glycerini, Amyli aa 2,0,) für schwer zu desinficirende Fistelgänge und Höhlen;

g) als J o d o f o r m g a z e, zum Bedecken frischer, durch die Naht vereinigter Wunden in einfacher Schicht unter dem übrigen Verband und zum Einstopfen in offenbleibende Wunden der Schleimhauthöhlen (Mund, Nase, Rachen, Mastdarm, Scheide, Blase, Harnröhre), wo exacte Antisepsis unmöglich ist.

Man bereitet die Jodoformgaze, indem man 10 m Mull in einer reinen Schale mit 100 g Jodoform bestreut und dasselbe so lange mit reinen Händen einreibt, bis er gleichmässig gelb geworden ist.

Sehr rasch und für alle Fälle brauchbar lässt sich die Jodoformgaze herstellen dadurch, dass man den Mull mit Jodoformäther begiesst und reibt, bis der Aether verflogen ist. Das Jodoform ist dann in feinsten Crystallen in der Gaze vertheilt. Zweckmässiger ist die Durchtränkung mit folgender Mischung: 50 g Jodoform, 5 g Glycerin, 20 g Colophonium, 1000 g Spiritus auf 500 g Mull. Das Jodoform haftet besser an demselben und fällt nicht so leicht aus. Diese Verfahren sind natürlich kostspieliger, als das oben beschriebene.

Für die Schleimhauthöhlen eignet sich am besten die Billroth- sche klebende Jodoformgaze, weil dieselbe fest an den Wundflächen anhaftet und wochenlang die Wundfäulniss verhindert. Sie wird bereitet, indem man 6 m Mull durch eine Lösung von 100 g Colophonium in 50 g Glycerin und 1200 g Alcohol (von 95 $^0/_0$) zieht und nach dem Trocknen mit 230 g Jodoform einreibt.

Für den Krieg schreibt die Sanitätsordnung folgende Bereitung vor: 8 m = 250 g Mull werden auf einer reinen Platte ausgebreitet und aus einer enghalsigen Flasche so lange mit einer Mischung von 600 g Jodoform, 250 g Alcohol und 250 g Glycerin bespritzt, bis der Mull gleichmässig gelb ist; darauf wird er mehrmals durch eine Wringmaschine gepresst und die dabei ablaufende Flüssigkeit immer wieder aufgegossen.

Als Vergiftungserscheinungen zeigen sich: in leichteren Fällen Röthung der Haut, Kopfschmerzen, Mattigkeit, Appetitmangel, Uebelkeit, Erbrechen, in schwereren: Schlaflosigkeit, erhöhte Pulsfrequenz, Fieber, Unruhe, Delirien, Tobsuchtsanfälle, Coma, Zuckungen der Gesichts- und Rumpfmuskeln. Sind diese letzteren Erscheinungen aufgetreten, so erfolgt der Tod meist in kurzer Zeit, selbst wenn man sofort das Mittel aussetzt.

Der Nachweis von Jod im Harn gelingt, wenn man denselben nach Zusatz von verdünnter Schwefelsäure und rauchender Salpetersäure mit einigen Gramm Chloroform kräftig durchschüttelt. Dieses wird bei Anwesenheit von Jod rothviolett gefärbt.

Die Behandlung besteht nach Aussetzen des Mittels und gründlicher Ausspülung der Wundfläche, besonders in Darreichung von Alkalien (Kalium bicarbonicum etc.) und Kochsalz-Transfusion, muss sich aber im Uebrigen auf die Bekämpfung der einzelnen Symptome beschränken.

Das **Wismuth** $NO_3[OH]_2Bi$. (K o c h e r) (Bismuthum subnitricum, Magisterium Bismuthi), ein weisses, crystallinisches, in Wasser

schwer lösliches Pulver, ist ein gutes Antisepticum, welches besonders stark austrocknend auf die Wunden wirkt, aber nicht ganz
ungiftig ist. Man benutzt es in $1\,^0/_0$ Aufschwemmung für die
Wunde und die Verbandstoffe; $5—10\,^0/_0$ Emulsionen wirken stärker
ätzend und auch giftig (Stomatitis, Enteritis, Nephritis).

Das **Naphthalin** (E. Fischer) ist ein recht gutes Antisepticum, welches die Wunden nicht reizt, nicht giftig und sehr
billig ist, aber einen sehr unangenehmen durchdringenden Geruch
hat. Als Pulver in offene Wunden gestreut, desinficirt es dieselben
rasch und dauernd. — Mull mit Naphthalin eingerieben giebt einen
sehr brauchbaren antiseptischen Verbandstoff.

Das **Zinkoxyd** (Petersen), ein mässig starkes nicht giftiges
Antisepticum, wird als Streupulver oder in $1—10\,^0{}_0$ Mixturen
(dünne und dicke Zinkmilch) auch zur Durchtränkung von Verbandstoffen angewandt. Zur Bedeckung genähter Wunden benutzte
Socin eine Pasta aus 50,0 Zinkoxyd, 5,0 Chlorzink, 50,0 Wasser.

Das **Jodol** (Ciamician) ein gelbliches, geruchloses, ungiftiges Pulver, soll alle guten Eigenschaften des Jodoforms besitzen.
Es wird gebraucht als Streupulver, in $10\,^0/_0$ Glycerinemulsion und
als Jodolgaze, welche ebenso wie Jodoformgaze bereitet wird.

Das **Sozojodol** (Tromsdorff) und seine Verbindungen, besonders mit Natrium, Quecksilber und Zink, wirkt durch
seinen Gehalt an Jod und Carbolsäure ebenfalls antiseptisch, ist
ungiftig und wird als Pulver und Lösungen in Gaze und Salben-
form bei Wunden, Geschwüren, Catarrhen mit gutem Erfolge benutzt.

Das **Dermatol,** in allerneuester Zeit hergestellt, soll noch
günstiger wirken und wird namentlich bei Hauterkrankungen angewendet. Auch das **Aristol** wird wie das Vorige wegen seiner
granulationsbefördernden und heilenden Eigenschaften vielfach ge-
lobt. An Wirksamkeit soll es noch übertroffen werden durch das
Dijodthioresorcin. Das **Sulfaminol,** ein nicht reizendes, geruchloses, austrocknend und antiseptisch wirkendes Pulver, eignet sich
zur Nachbehandlung von Wunden besonders in der Mund- und
Nasenhöhle. Das **Salol,** aus Carbol und Salicylsäure bestehend,
benutzt man mit gutem Erfolg als Streupulver auf schlecht heilende
Geschwüre.

Auch **Kohle, Zucker** und **Kaffee** sind in neuerer Zeit an einigen
Orten vielfach benutzt worden. Pulverisirte Kohle, Kaffee (Oppler)
sind besonders bei brandigen Geschwüren angewandt, bei denen
das übelriechende Wundsecret bald geruchlos wird. Der Zucker

(Lücke) ist trotz seiner Gährungsfähigkeit geeignet, Zersetzungen zu verhüten (saure Reaction der Wundsecrete). Man benutzt ihn als Streupulver in ganz dicker Schicht auf genähte Wunden (Fischer); da er ausserdem stark austrocknend wirkt, so kann der Verband 8—14 Tage liegen bleiben.

Von dieser grossen Anzahl antiseptischer Mittel, deren Aufzählung hiermit noch lange nicht erschöpft ist, werden indessen nur verhältnissmässig wenige allgemein angewendet. Es sind dies hauptsächlich: Carbol, Sublimat, Bor, Jodoform; die beiden ersteren, weil sie zu den kräftigsten Desinfectionsmitteln zählen, das Bor, weil es trotz seiner hohen kolyseptischen Eigenschaften ungiftig ist und daher überall da in Anwendung kommt, wo (wie auf Schleimhäuten und in grossen serösen Höhlen) bei dem Gebrauch giftiger Mittel leicht Vergiftung durch Resorption eintreten könnte, das Jodoform endlich, weil es das vorzüglichste Mittel ist, um aseptische (oder aseptisch gemachte) Wunden vor einer nachträglichen Zersetzung der Secrete zu bewahren. So lange nur einige Crystalle davon sich in der Wunde finden, ist es noch sicher wirksam und eignet sich daher hauptsächlich für den Dauerverband, ganz abgesehen von seinen guten Diensten bei tuberculösen Erkrankungen.

Bei der antiseptischen Behandlung frischer, nicht vom Arzte selbst angelegter Wunden (**primäre Antisepsis**) benutzt man, nach sorgfältigster Reinigung, die Antiseptica nur in schwachen Lösungen, um die etwa in die Wunde gelangten Infectionskeime zu tödten oder fortzuschwemmen. Zur Berieselung des Operationsfeldes eignen sich Sublimat 1:5000, Carbollösung 2:100, Borlösung 3:100; in diesen Flüssigkeiten drückt man auch die Schwämme und Tupfer aus. Zu grosse Mengen der giftigen Antiseptica sollte man wegen ihrer Nebenwirkung vermeiden und nur dann spülen, wenn es nöthig scheint, also besonders am Ende der Operation vor Anlegung der Naht. Die Resorptionsgefahr ist übrigens bedeutend verringert, wenn man an den Gliedern unter Anwendung der elastischen Umschnürung operirt: hier ist sogar die Anwendung stärkerer Lösungen erlaubt, da eine Resorption nicht stattfinden kann, die Antiseptica also nur in der Wundfläche wirken. Nach solchen Spülungen soll die ganze Wunde sorgfältig getrocknet werden. Nach Anlegung der Naht und Drainage spült man dann nochmals die Wunde mit antiseptischen Lösungen aus, drückt sie mit einem grossen Schwamm oder Tupfer so fest zusammen, dass alle noch darin zurückgebliebene Flüssigkeit herausgepresst wird, und lässt diesen Druck so lange fortsetzen, bis man den Schwamm durch das gleichfalls fest aufzudrückende erste Verbandstück (Kissen oder Krüllgaze) ersetzt (Fig. 38).

Wunden, welche sich durch die Naht vereinigen lassen, bedeckt man mit Sublimat- oder Jodoformgaze, drückt diese durch ein Moospolster oder eine dicke Schicht Watte überall fest an und befestigt das Ganze mit einer Binde.

Gelingt es nicht, die Wunde völlig zu vernähen oder glaubt man bei krankhaftem Aussehen derselben besser auf die Naht verzichten zu müssen, so bestreut man die ganze Wundfläche mit Jodoformpulver, welches sich am besten mit einem Pinsel, dünn wie Schleier, vertheilen lässt und bedeckt dann die Wunde mit Gaze. Solche Wunden, welche durch Granulation heilen, muss man öfter, je nach ihrer Absonderung etwa alle 2—6 Tage, neu verbinden, während die Verbände auf genähten und drainirten Wunden meist bis zur Heilung liegen bleiben können. Auch die Drains brauchen meist erst nach diesem Zeitraum entfernt zu werden. Die durch sie gebildeten Canäle schliessen sich bei gutem Wundverlauf in wenigen Tagen durch Verklebung ihrer Wandungen.

Kleinere Wunden, welche nicht bluten und nicht eitern, kann man in einfacher Weise luftdicht verkleben mit Heftpflaster, englischem Pflaster, Zinkleim, Photoxylin, Traumaticin oder Collodium; nothwendig ist es hierbei, zuvor antiseptische Mittel zu ihrer Reinigung zu benutzen und das englische Pflaster auch mit desinficirender Lösung (nicht mit Speichel) zu befeuchten; durchaus zweckmässig ist die Verwendung des Jodoformcollodiums mit Zusatz von Ricinusöl oder Terpentin, welches antiseptisch wirkt, die Wunde fest bedeckt hält und sie mässig zusammenzieht. Solche Pflaster halten aber nur auf trockner Haut; tritt eine, wenn auch nur geringe Blutung auf, so werden sie von der Haut abgehoben und fallen ab; sie haben dann meist mehr geschadet als genützt.

Die Trockenlegung und Drainage der Wunde.

In aseptisch·behandelten,·nur mit Kochsalzlösung oder gar nicht bespülten Wunden pflegt die Absonderung nur sehr gering zu sein, da die Wundflächen nicht unnöthig gereizt worden sind. Um sie noch mehr zu beschränken, kommt es darauf an, zunächst die Blutung, selbst aus den kleinsten Gefässen, sorgfältigst zu stillen, dann die Wunde nicht zu fest zu vernähen, sondern so, dass durch die Zwischenräume der Nähte noch etwaiges Secret hindurchsickern kann, und endlich einen gut aufsaugenden festen Druckverband anzulegen, der die·Wundflächen aneinander presst und ihre Heilung durch Verklebung ermöglicht.

Höhlen sollen möglichst vermieden, oder durch schichtweises Vernähen ihrer Wandungen (verlorene Naht, **Etagennaht**) und tiefgreifende Hautnähte beseitigt werden.

Fig. 32.   Fig. 33.

Einstülpungsnaht.

Starrwandige Höhlen im Knochen nach Auslöffelung oder Aufmeisselung, oder unregelmässig gestaltete Höhlenwunden nach Entfernung von Geschwülsten kann man aber nach genauer Vernähung der Hautränder voll Blut laufen lassen. Vorausgesetzt, dass keine Infection stattgefunden hat, organisirt sich dieses Blut mit der Zeit zu Bindegewebe. (**Heilung unter dem Blutschorf,** Lister, Cheyne, Schede.) Man kann aber auch die Höhlenbildung gänzlich vermeiden, indem man die Knochenrinne mit den seitlich herübergezogenen Hautlappen bedeckt und sie in dieser Lage befestigt (**Einstülpungsnaht,** Fig. 32, 33).

Falls aber zu erwarten ist, dass sich entweder durch die reizende Wirkung der starken Antiseptica, oder durch eine Infection in der Wunde erhebliche Mengen von Wundflüssigkeiten absondern, so muss dafür Sorge getragen werden, dass dieselben nicht zurückgehalten werden, sondern freien Abfluss haben. Dies geschieht durch die **Drainage** mittelst durchlöcherter Kautschukröhren (Chassaignac) (Fig. 34, 35). Dieselben werden so in die Wunde

Fig. 34.

Kautschukdrain.

gelegt, dass ihre Mündungen an den abhängigsten Stellen der im übrigen vernähten Wunde zu liegen kommen und die Hautoberfläche nur wenig überragen. In dieser Lage werden sie durch quer vorgestreckte Sicherheitsnadeln oder eine Knopfnaht an dem Wund-

Fig. 35.

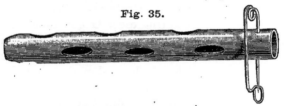

Entkalktes Knochendrain.

rand befestigt. Zum Einschieben der Drains in enge Höhlen benutzt Lister eine eigene Kornzange mit dünnen Armen (Fig. 36). Meist thut aber eine etwas gebogene mittelstarke Kornzange dieselben Dienste.

Fig. 36.

Drainzange nach Lister.

In grossen Wundhöhlen müssen mitunter an den tiefsten Stellen eigene Oeffnungen (Gegenöffnungen) in die Haut geschnitten werden, um den Secreten Abfluss zu verschaffen und die Drainröhren herauszuleiten. Am einfachsten geschieht dies, indem man von aussen auf die von innen her durch eine Kornzange vorgestülpte Haut einschneidet. Chassaignac gebrauchte einen Drainage-

Fig. 37.

Troicart (Fig. 37), den er von innen her durch den abhängigsten Theil der Wunde hindurchstiess, an dem Widerhaken der Spitze das Drain befestigte und nun das Instrument sammt dem Rohr zurückzog.

Statt der Gummiröhren hat man auch noch angewandt: Glasröhren, Metallröhren, entkalkte Knochenröhren und ferner Dochte aus Gaze, Wolle, Catgut, Glaswolle, Draht, welche durch Capillarität stark saugend wirken können (Nussbaum gebrauchte als Drainage schmale Streifen Protectiv-Silk).

Um diese Gegenstände zu desinficiren, kocht man sie längere Zeit hindurch aus. Gummiröhren vertragen längeres Kochen nicht, doch werden sie schon durch minutenlanges Einlegen in kochende Sodalauge völlig sterilisirt. Man bewahrt sie in 5 % Carbollösung auf.

Drainage-Troicart.

Um das Einlegen von Fremdkörpern in die Wunde zu vermeiden, lässt sich die Drainage übrigens auch so ausführen, dass man nur locker näht und namentlich den unteren Wundwinkel offen lässt, und in diesen einen Zipfel der Gaze des Verbandes ganz leicht hineinstopft, so dass die Secrete, der Schwere folgend, aus dieser Oeffnung abfliessen können, oder dass man an den abhängigen Stellen die Haut parallel und neben der Hautnaht durchsticht. Die entstandenen Löcher, von deren Rändern das hervorquellende Fett etwas weggeschnitten wird, werden durch die Spannung der Naht zum Klaffen gebracht und dienen als Abflussöffnung (s. Fig. 38 u. a. Bd. III. Fig. 344).

Bei solchen grossen Wunden, welche vielleicht noch nachträglich erheblich bluten könnten, oder die in pathologisch verdächtigen Geweben (Tuberculose, Oedem, Sepsis) angelegt

werden mussten, ist es am sichersten, auf jede Naht und
Drainage. zu verzichten, die Wundränder klaffend zu lassen und
die ganze Wundhöhle mit Gaze auszustopfen (**Tamponade**).
Es wird hierdurch die schnellste Aufsaugung der Secrete vermittelt. Trotz der Tamponade kann noch die Heilung durch erste
Verklebung erfolgen, wenn sich nach Verlauf von 2—3 Tagen
nach Entfernung der Gaze die Wunde mit guten Granulationen
bedeckt zeigt. Sie kann dann in ganzer Ausdehnung durch tiefe
und oberflächliche Nähte geschlossen werden (**Secundärnaht**).
Zeigt sich aber bei Entfernung des Tampons eine schlechte Wund-
beschaffenheit und reichliche Eiterung, so muss man auf die Naht
verzichten und unter fortgesetzter Tamponade die Wunde durch

Fig. 38.

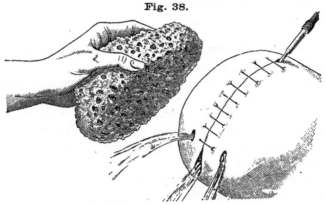

Hautlöcher, letzte Durchspülung.

Granulationsbildung sich vom Grunde her schliessen lassen. Zur
Tamponade, besonders wenn sie längere Zeit liegen bleiben soll,
ist fast allgemein die Jodoformgaze bevorzugt. Handelt es
sich um sehr grosse Höhlen, so könnten zu grosse Mengen derselben leicht Vergiftungserscheinungen hervorrufen. Man gebraucht
dann entweder nur sehr schwache Jodoformgaze, oder nimmt
für die oberen Schichten des Tampons sterilisirte Gaze, oder
tapezirt die Wandungen der Höhle mit einer einfachen oder
doppelten Lage Jodoformgaze und stopft in den so entstandenen
Beutel sterilisirte Gaze hinein, nach deren schichtweiser Entfernung
sich auch der Hohlraum allmählich verkleinert (Miculicz).

Handelt es sich um die Fortschaffung sehr infectiöser Wundsecrete, so leistet die dauernde Immersion und Irrigation
(s. u.) oft noch bessere Dienste, als Tamponade und Drainage.

Der Wundverband

hat folgende Zwecke zu erfüllen. Er soll:

1. die Wunde schützen vor äusseren Schädlichkeiten und besonders auch vor dem Eindringen von Fäulnisserregern. Er muss also die ganze Wundgegend reichlich einhüllen, überall sich gut anschmiegen und namentlich an den Rändern gut schliessen **(Deckverband, Schutzverband)**.

2. die Wundsecrete (Blut, Serum, Eiter), welche aus der Wunde hervordringen, begierig aufsaugen und rasch verdunsten lassen **(Trockenverband)**.

3. die Zersetzung (Fäulniss) dieser Secrete verhindern (**antiseptischer Verband, Lister**).

Die Verbandstoffe,

welche zur Bedeckung der Wunde dienen sollen, müssen

1. vollkommen rein (aseptisch) sein; oder

2. Mittel enthalten, welche die Fäulnisserreger unschädlich machen (Antiseptica);

3. weich und elastisch sein, so dass sie sich bei mässigem Druck der Oberfläche des Körpers gut anschmiegen;

4. Flüssigkeiten aller Art begierig aufsaugen (grosses Absorptionsvermögen besitzen);

5. für die Luft durchgängig sein, damit die aufgesogenen Flüssigkeiten rasch verdunsten und mit dem Sauerstoff der Luft Verbindungen eingehen können.

Am meisten gebraucht werden folgende:

1. Der **Mull** (Verbandmull, Gaze), ein lockerer Baumwollenstoff, durch Kochen in Natronlauge entfettet (hydrophil gemacht); er wird verwendet:

a) zur unmittelbaren Bedeckung der Wunde, entweder in vielfach glatt aufeinander gelegten Schichten als Compresse (Lister), oder in unordentlich locker zusammengefalteten Stücken als Krüllgaze (v. Volkmann);

b) zu Säcken verschiedener Grösse verarbeitet, welche mit anderen Verbandstoffen (Torf, Moos, Sägespäne, Holzwolle etc.) gefüllt, als Kissen oder Polster über die Gazeschicht gelegt werden;

c) zu Binden von 6—12 cm Breite zerschnitten, welche sterilisirt oder in antiseptische Flüssigkeit (Carbol-, Sublimatwasser) getaucht zur Befestigung der Deckverbände dienen.

2. Die **Watte.** a) Die in Natronlauge e n t f e t t e t e, h y d r o -
p h i l e **Charpiewatte** (W u n d w a t t e, B r u n s) saugt rasch Wasser
auf, eignet sich deshalb sehr gut zum Abwaschen beschmutzter
Körpertheile in Gestalt von Tupfern oder Ballen zum einmaligen
Gebrauch, auch zum Auspolstern absondernder Flächen (Achselhöhle etc.), aber nicht dazu, unmittelbar auf die Wunde gelegt
zu werden, weil die Berührungsfläche mit dem Secret zu einer
harten undurchlässigen Schicht zusammenbackt. Man benutzt sie
daher nur für die zweite Verbandschicht über der Gaze in nicht
zu dünner Lage; freilich nur für kleinere Wunden, welche wenig
Secret liefern. Bei grösseren Wunden muss der Verband öfter
gewechselt werden, weil die einmal mit Eiter u. s. w. durchtränkte Watte hart und absorptionsunfähig wird. Sie eignet sich
daher nicht sonderlich für Dauerverbände, zu welchen man lieber
die P o l s t e r v e r b ä n d e anwendet.

b) Die **gewöhnliche,** nicht entfettete (geleimte) **Watte** wird
verwendet zum Polstern der Schienen und vor Allem in Form
von 10—15 cm breiten **Wattebinden** zum Füttern und Abschliessen
der Ränder des Wundverbandes, da bekanntlich die Watte das
beste Filter für die in der Luft schwebenden Infectionsträger ist.

3. Der **Lint,** ein Baumwollengewebe mit einer rauhen Seite
(dem Parchend ähnlich) ist meist zur Bedeckung kleinerer Wunden
zu verwenden, namentlich nach vorheriger Durchtränkung mit
heisser Borlösung (B o r l i n t). Er wird vielfach zum Aufstreichen
von Salben benutzt.

Zur Füllung der oben erwähnten Mullsäcke für den **Polsterverband** sind folgende mehr oder weniger gut saugende Stoffe
gebräuchlich:

1. Der **Torf,** grobgepulvert als Torfmull (N e u b e r). Die
hellbraune Sorte (Moostorf) saugt sehr gut auf (das Neunfache
ihres Gewichtes), wenn sie vorher etwas angefeuchtet wurde; der
schwarze Torf saugt weniger auf, hat aber antiseptische Eigenschaften in Folge seines Gehaltes an Humussäure.

2. Das **Torfmoos** (Sphagnum), in Wald- und Moorgegenden
überall billig zu haben, durch Auswässern und nachfolgendes
Sterilisiren leicht aseptisch zu machen, ist sehr compressibel, ab-
sorbirt vortrefflich und ist reinlicher als der Moostorf. Die T o r f -
m o o s s p i t z e n sind feiner und saugen noch besser.

3. **Holz-Sägespähne, Holzwolle** und **Holzfasern** sind gute Verbandstoffe, weil sie alle sich leicht zusammendrücken lassen, einiger-
massen gut und rasch aufsaugen, durch Sterilisirung oder Auskochen leicht aseptisch zu machen und nicht theuer sind.

Die Sägespähne (Porter) sind überall zu haben. Am
besten saugen die Pappelspähne auf. Die Föhrenspähne haben
auch antiseptische Eigenschaften. Die Holzwolle und die Holzfasern werden in Fabriken für geringen Preis hergestellt. Die
letzteren eignen sich besonders gut zur Füllung der Tupfer, die
man bei Operationen statt der Schwämme gebraucht, sowie zum
Polstern der Schienenkissen. Die Zellstoffwatte aus Tannen-
holzfasern wird auch in Tafeln angefertigt und ist sehr weich und
schnell aufsaugend.

Die Waldwolle, das Schiffswerg (Oacum), die Jute (arau-
canischer Hanf), der Flachs, Fliesspapier, Sand, Asche sind
weniger im allgemeinen Gebrauch, weil sie theils nicht weich, theils
nicht saugkräftig genug sind.

Bemerkenswerth ist hierbei, dass man die Saugkraft aller
dieser Stoffe durch Zusatz von Wasser stark anziehenden Mitteln
wie Kochsalz, Glycerin u. a. bedeutend erhöhen kann. Auch
saugen sie kräftiger, wenn sie zuvor ein wenig angefeuchtet werden.

Durch die fabrikmässige Herstellung ist die Anwendung der
Polsterverbände so bequem gemacht, dass sie fast überall gebraucht
werden können. So haben Leisrink und Hagedorn durch
starke Pressung **Moospappe** in Tafeln von verschiedener Grösse
anfertigen lassen, die sehr reinlich beim Gebrauch ist und nur in
Gaze eingewickelt zu werden braucht, um ein treffliches Moospolster zu geben. Sie ist auch schon in Mullsäcke genäht käuflich.
Dieselben nehmen nur wenig Raum ein, quellen aber beim An-
feuchten ganz bedeutend auf. Ebenso brauchbar ist die zu-
sammengepresste Holzwolle und Holzwatte (Holzwattetafeln).

Früher hatte man viele verschiedene Grössen für die Polster
angegeben, und brauchte für ganz grosse Verbände z. B. Polster
von 50 : 70 cm (Fig. 39) im Geviert, für kleinere solche von
5—10 qcm. Einfacher und ebenso zweckmässig ist es, auch bei
grossen Wunden mehrere kleinere Polster aufzulegen. Man hat
dann nur etwa 2—3 Grössen, 5—10—30 cm im Quadrat vorräthig zu halten.

Zur Polsterung der Schienen eignen sich Kissen, welche 50 cm
lang und 15 cm breit sind.

Vor der Anlegung dieser Polster wird der Inhalt durch Rütteln so verschoben, dass er sich allen Vertiefungen der Wund-gegend gut anschmiegt, einen gleichmässigen Druck auf die ganze Wunde auszuüben vermag, und dass die Hauptmasse auf die ab-hängigste Stelle der Wund-gegend zu liegen kommt (z. B. auf den Rücken bei Ver-bänden der Brust und Achsel-gegend). Durch Umschlagen der Ecken sucht man, z. B. bei Amputationsstümpfen, die Wunde vollständig nach aussen abzuschliessen.

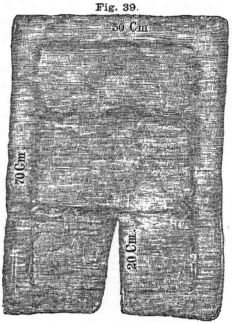

Fig. 39.

Mit einer Mullbinde wird nun zunächst das Polster so umwickelt, dass es überall gleichmässig und fest sich an den Körpertheil anschmiegt, darüber kann man nun noch eine Watteschicht legen, das Ganze wird mit einer Cambric- oder Gazebinde befestigt.

Alle Höhlen und Ver-tiefungen, z. B. die Achsel-höhle, werden sorgfältig mit Watte oder Krüllmull aus-

Grosses Verbandpolster.

gefüllt, bevor die Bindentouren darüber weggeführt werden.

Zum Schluss wird noch in den Fällen, wo man an den Ex-tremitäten unter künstlicher Blutleere operirt hat, eine elastische Binde von dünnem Kautschuk über den ganzen Verband angelegt, um für die ersten 2—3 Stunden die Compression zu verstärken,

Fig. 40.

Elastische Binde beim Wundverband.

und bei Operationen in der Nähe des Afters legt man eine solche Binde um die Randpartien des Verbandes, um das Eindringen von Darmsecret in den Verband zu verhüten (Fig. 40).

Undurchlässige Stoffe werden im Ganzen beim Wundverbande nur selten noch gebraucht, seitdem man erkannt hat, dass sie mehr schaden als nützen, weil sie die Verdunstung der Wundsecrete verhindern. Dahin gehört Lister's **Wachstaft** (Schutztaft, protectiv silk), welchen er unmittelbar auf die Wunde legte, um sie vor der reizenden Einwirkung der Carbolsäure u. a. zu schützen. Wenn nur das Verbandmaterial genügende Aufsaugungsfähigkeit besitzt, so ist er ebenso wenig nöthig wie die Glaswolle, welche von Schede empfohlen wurde.

Dasselbe gilt von dem kostspieligen **Mackintosh,** der beim Original-Listerverband zwischen die siebente und achte Gazeschicht gelegt wurde, um etwa durchdringendes Wundsecret nicht gleich an die Oberfläche treten zu lassen. Will man etwas derartiges anwenden, so ist das weit billigere **Firnisspapier** vorzuziehen, welches man sich selbst folgendermassen bereiten kann:

Man bepinselt Seidenpapier mit Leinölfirnis, welchem 3 % Siccativ oder Firnissextract zugesetzt ist. Die bestrichenen Bogen werden auf Fäden in einem luftigen Raume 48 Stunden aufgehängt, bis sie vollständig trocken sind. Um das Papier antiseptisch zu machen, wird dem Firniss 1 % Thymol zugesetzt. Das Firnisspapier eignet sich gleichfalls sehr gut zum Bedecken und Feuchthalten von Umschlägen (Priessnitz'schen Umschlägen, Cataplasmen), wozu auch Pergamentpapier, Wachstuch und Guttaperchapapier (Krankenleder) verwendet werden können.

Stärkere wasserdichte Stoffe, wie die mit Oel- oder Kautschukfirniss getränkten Baumwollengewebe (z. B. der Billroth-Battist, das Oeltuch etc.) gebraucht man zum Schutz der Bettwäsche beim Verbandwechsel, bei der permanenten Irrigation etc.

Die **reinen Kautschukstoffe** aus rohem, braunem Kautschuk eignen sich vorzüglich zum Bedecken des Operationstisches, zum Schutz der übrigen Körpertheile bei Operationen und Verbänden (s. Fig. 21) und zu den Schürzen des Chirurgen und seiner Gehülfen. Aus demselben Stoffe werden die 5—10 cm breiten Gummibinden geschnitten.

Die Binden dienen zum Andrücken und Festhalten der Verbandstücke und Schienen, zur Bedeckung, Unterstützung und Feststellung verletzter Körpertheile; sie werden verfertigt:

a) Aus **Mull** (Gaze), geschnitten, legen sich gut an, wenn sie vorher angefeuchtet sind; und wenn sie mit Stärke getränkt sind

(Organtin), kleben sie beim Trocknen zusammen, so dass sich der Verband nicht mehr verschieben kann (Klebebinde). Sie werden vorzugsweise zum Befestigen der antiseptischen Verbände und zu Gipsverbänden gebraucht.

b) Aus **Cambric,** geschnitten, sind sehr weich und schmiegen sich ebenso gut der Körperfläche an, als die Flanellbinden, sind aber billiger als diese, sehr haltbar und lassen sich gut waschen. Sie eigenen sich vorzüglich zum Anlegen schwieriger Verbände und zum Befestigen von Schienen.

c) Aus **Watte,** geschnitten, sind sehr weich und compressibel und eignen sich deshalb zur Unterlage für den antiseptischen Wundverband und zur Polsterung bei Schienen- und Gipsverbänden.

d) Aus **Leinewand,** am besten aus alter, weicher, oft gewaschener Leinewand gerissen oder nach dem Faden geschnitten. (Binden aus n e u e r Leinewand legen sich schlecht an, weil sie zu steif sind.)

e) Aus **Flanell,** gerissen, sind weich und dehnbar und schmiegen sich deshalb gut an; eignen sich besonders zur Einwickelung ganzer Glieder und als Unterlage beim Kleister- und Gipsverband.

f) Aus **Shirting** oder **Stouts,** gerissen, sind billiger als die leinenen und gut zum Kleisterverband zu verwenden.

g) Aus **Tricot** (Tricotschlauch) sind ausgezeichnet dehnbar und schmiegsam, eignen sich besonders als Ersatz der Cambricbinden.

h) Aus **Kautschuk,** entweder rein, als braune Gummibinden, oder aus Stoffen mit Kautschukfäden durchwebt, wodurch sie neben ihrer grossen Elasticität den Vorzug haben, auch für die Luft durchgängig zu sein, so dass die bei Anwendung der reinen Kautschukbinden lästige Feuchtigkeit und Hitze der Haut ausbleibt. Sie werden gebraucht:

1. zum Einwickeln der Glieder bei künstlicher Blutleere;

2. zum Einwickeln des ganzen Wundverbandes nach blutlosen Operationen an den Extremitäten, um die Compression für die zwei ersten Stunden zu verstärken, bis die Gefahr des Nachsickerns von Blut vorüber ist;

3. zum Andrücken der Ränder des Verbandes (Fig. 40), damit nicht Luft, z. B. bei den Athembewegungen der Brust oder des Bauches, oder Darminhalt, z. B. nach Operationen am Damm, unter den Deckverband dringt.

4*

Fig. 41.

Antiseptischer Verband einer grossen seitlichen Halswunde.

Als Grundsatz bei der Anlegung aseptischer oder antiseptischer Verbände ist zu beachten, dass die Verbandstoffe die Wundgegend und ihre Umgebung sicher bedecken, damit auch von entfernteren Theilen her keine Infection stattfinden kann. Daher sind die heutigen Verbände (gegenüber denen der vorantiseptischen Zeit) sehr gross und umfangreich. Bei Operationswunden am Halse z. B. müssen die Bindengänge zur sicheren Festhaltung und guten Schliessung des Verbandes nicht nur um den Kopf, sondern auch um die Brust geführt werden (Fig. 41). Bei Oberschenkelwunden muss auch zugleich die Beckengegend eingewickelt werden (Fig. 42). Ob hierbei die Vorschriften der

Fig. 42.

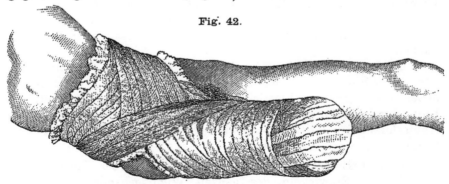

Antiseptischer Polsterverband eines Amputationsstumpfes.

älteren Verbandlehre ganz genau befolgt werden, ist bei den heutigen weichen und dehnbaren Verbandstoffen (Klebebinden) ziemlich gleichgültig: wenn nur der Verband gut schliesst und fest sitzt.

Wie schon oben erwähnt, ist aber die allererste Bedingung für einen guten Verband die der völligen Keimfreiheit

(Sterilität). So leicht dieselbe in grösseren Anstalten mit Dampf-
sterilisatoren erfüllt werden kann, so schwer und vielmehr
unbequem ist es für den praktischen Arzt, sich jedesmal die
nothwendigen kleineren Mengen völlig steril zu verschaffen, zumal
bei nur theilweisem Verbrauch von Verbandstoffen aus grösseren
sterilisirten Packeten, der Rest nicht mehr völlig aseptisch ist.

Höchst zweckmässig sind daher für die Praxis die von
Dührssen angegebenen **Verbandbüchsen,** Blechbüchsen, in denen
alles zu dem für eine bestimmte Körpergegend nothwendigen Verband in einfach sterilen oder sterilisirten antiseptischen Stoffen
vorhanden ist und nach Oeffnung der Blechbüchse mit einem
Male verbraucht wird. Die Büchsen enthalten je nach der
Grösse des anzulegenden Verbandes verschiedene Mengen von
sterilisirter Jodoformgaze, Wundwatte, Cambric- und Stärkebinden; auch kann man sie mit Beigabe von einigen Gramm
Jodoformpulver erhalten.

Durch Benutzung dieser fabrikmässig hergestellten Verbandbüchsen wird neben dem Fortfall des unbequemen Selbststerilisirens
die beste Gewähr für die Asepsis jedes Verbandes geleistet.

Das Wechseln des Verbandes.

Der Verband reiner aseptischer Wunden sollte, wenn möglich,
bis zur völligen Heilung der Wunde liegen bleiben oder doch so
selten als möglich gewechselt werden (Dauerverband).

Um aber nicht den richtigen Zeitpunkt für den Verbandwechsel zu versäumen, muss der Verband, namentlich an der abhängigsten Stelle, häufig untersucht und nachgesehen, ausserdem
aber das Verhalten der Körperwärme mit Hülfe des Thermometers,
sowie das Allgemeinbefinden stets beachtet werden.

Wenn Wundsecret den Verband durchdringt und an die Oberfläche desselben gelangt, so beginnt unter dem Einfluss der Luft
sofort die Zersetzung desselben und pflanzt sich rasch durch die
Schichten des Verbandes zur Wunde hin fort.

Um dies zu verhüten, ist es vor allen Dingen nothwendig,
dass der Secretfleck schnell eintrocknet, wodurch die Entwicklung der Infectionskeime, die ja hauptsächlich auf feuchtem
Nährboden gedeihen, am besten verhindert wird. Geht die
Austrocknung nicht rasch genug vor sich (z. B. bei grösseren

Blutungen) so müssen die obersten Schichten des Verbandes an ·der Stelle, wo das Secret zum Vorschein gekommen ist, sofort ·mit Sublimatlösung · oder Jodoformpulver desinficirt und dann mit einem weit über den Fleck hinausragenden Polster bedeckt werden.

Ist der Secretfleck grösser als eine Handfläche, dann ist es besser, die obersten Schichten des Verbandes bis auf die Gaze, welche unmittelbar auf der Wunde liegt, zu entfernen und durch neue sterile trockene Verbandstoffe (Polster, Watte) zu ersetzen.

Ein Wechseln ,des ganzen Verbandes wird nöthig, wenn:

1. heftiger Schmerz in der Wunde sich einstellt oder

2. ein Fieber mit solchen Störungen des Allgemeinbefindens, dass Sepsis der Wunde wahrscheinlich ist (septisches Fieber); bleibt aber trotz erhöhter Körpertemperatur (bis etwa 39 ⁰ C.) das Allgemeinbefinden gut, Haut und Zunge feucht (aseptisches Fieber), dann ist Sepsis der Wunde nicht anzunehmen.

3. wenn der Verband einen üblen Geruch verbreitet;

4. wenn Drains in die Wunde gelegt worden sind; dann muss der Verband oft schon nach wenigen Tagen gewechselt werden, damit die Drainröhren entfernt werden können. Lässt man dieselben länger als nöthig liegen, so rufen sie mitunter stärkere Wundsecretion hervor und die durch sie geschaffenen Canäle schliessen sich nur langsam.

Der Verbandwechsel muss möglichst rasch vorgenommen ·werden, und es ist deshalb nothwendig, Alles bereit ·zu halten, was möglicherweise dazu gebraucht werden kann.

Vor Abnahme des Verbandes wird der Patient so gelagert, dass man bequem den Verband auf's neue anlegen kann, und durch Unterlegen einer Kautschukdecke wird das Lager vor Beschmutzung und Durchtränkung geschützt.

Waren die obersten Deckschichten mit Klebebinden angelegt, so muss man dieselben zuvor etwas befeuchten, wenn das Abreissen der mit einander verklebten Bindengänge · dem Kranken unangenehm ist; Cambricbinden lassen sich leichter abwickeln. Hat man aber nicht nöthig, mit den Verbandstoffen zu geizen, so lässt sich der Verband am schnellsten abnehmen, wenn man ihn mit einer grossen kräftigen Scheere (V e r b a n d s c h e e r e, Fig. 43) in der Längslinie aufschneidet. Man muss sich dabei hüten, in die unter der Binde etwa liegende Watteschicht hineinzugerathen, da sich Watte schlecht schneiden lässt; sie wird leichter mit den Fingern· auseinander g e r i s s e n.

Findet man die Wunde aseptisch und trocken, so ist es ganz unnöthig, sie abzuspülen. Man reinigt nur ihre Umgebung durch Abwischen mit Tupfern oder Watteflocken und legt · rasch wieder einen neuen Verband an.

Fig. 43.

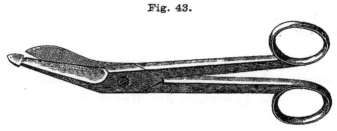

Verbandscheere,

Sind Kautschukdrains eingelegt worden, so werden dieselben herausgezogen, von Blutgerinnseln· oder Eiter ˙ gereinigt und nur dann wieder eingeschoben, wenn bei Druck noch Wundsecret aus der Tiefe quillt.

Ist die Wunde bis auf oberflächliche Granulationen geheilt, dann legt man auf dieselbe etwas Borlint oder ein mit Borvaselin bestrichenes Mullläppchen.

Noch schneller geht die Vernarbung unter ganz leichter Bestreuung mit Jodoformpulver vor sich. Ueppige, hypertrophische Granulationen, die die umgebenden Hautränder überragen und dadurch die Vernarbung hindern, bringt man zum Schwinden durch leichtes Verätzen mit dem Höllensteinstift, ein Verfahren, welches ganz schmerzlos ist, wenn man sich vor einer Anätzung des zarten Epithelsaumes hütet, oder · durch Auflegen einer $2-3\ ^0/_0$ Zincum sulfuricum - Salbe. Schlaffe, glasige, hypertrophische Granulationen entfernt man am besten mit dem scharfen Löffel und bestreut den Grund mit Jodoform. Ebenso verfährt man, wenn die Granulationsbildung nur spärlich ist und die Wunde nicht heilen will. Dann kann man auch die Wundfläche mit Jodtinctur oder reizenden Salben bestreichen.

Findet sich in der Umgebung der Wunde Ekzem, so bestreicht man die gereizte Stelle dick mit Salicyl-Glycerinsalbe, Borvaselin, Lanolin oder Lassar's Paste (Zinc. oxydat, Amyl. tritic. aa 10.o, Acid. salicyl. 1.o, Vaselin. 20.o).

Wenn keine Heilung per primam intentionem erfolgt ist, dann legt man auf's Neue den antiseptischen Verband an und erneuert ihn häufiger, je nachdem die Absonderung der Wunde es erfordert.

Ist aber die Wunde septisch geworden, ist Entzündung, Eiterung, Lymphangitis, Phlegmone, Erysipelas eingetreten, dann muss man sofort alle Nähte lösen, die Wunde ausgiebig öffnen und sie gründlich desinficïren und drainiren, wie weiter unten angegeben ist (s. secundäre Antiseptik).

Beim Anlegen des ersten Verbandes nach der Operation oder beim Wechseln grösserer Verbände ist von besonderer Wichtigkeit

die Lagerung des Kranken.

Derselbe muss dabei in eine solche Lage gebracht werden, dass der zu verbindende Körpertheil von allen Seiten frei liegt, und der Körper während des ganzen Verbandes diese Lage unverrückt beibehalten kann.

Zur Unterstützung des Körpers dient theils der Operationstisch oder das Bett, theils aber die von Volkmann angegebene gepolsterte **Beckenstütze** (Fig. 44), welche für Erwachsene eine Höhe von 20 cm haben muss und von denen man in manchen Fällen zwei nöthig hat. Die Hände der Assistenten oder Wärter halten den Körper in der gegebenen Stellung fest. Bei manchen Verbänden am Bein ist auch eine **Hackenstütze** (s. u.) gut zu verwenden.

Fig. 44.

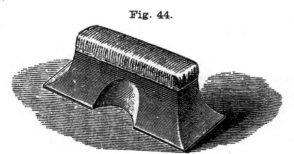

Beckenstütze nach von Volkmann.

Die Abbildungen Fig. 45—49 zeigen die zweckmässigste Lagerung für die Verbände an den verschiedenen Körpergegenden. Kopfverbände legt man am besten am sitzenden oder sitzend gehaltenen Kranken an; ebenso Verbände am Oberkörper; ist der Kranke noch in Narkose, so legt man ihn quer auf den

Fig. 45.

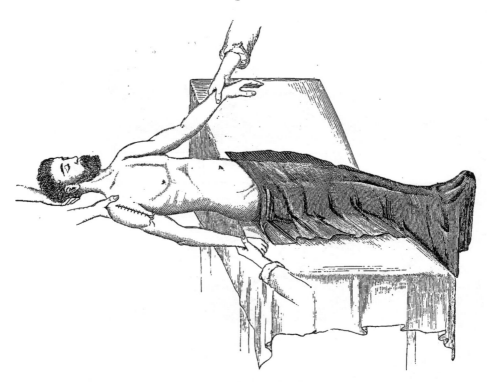

Fig. 46.

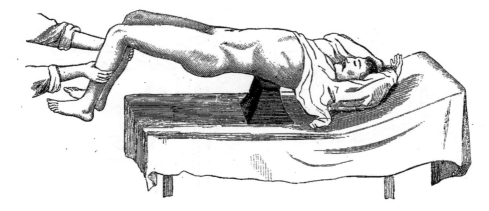

Fig. 47.

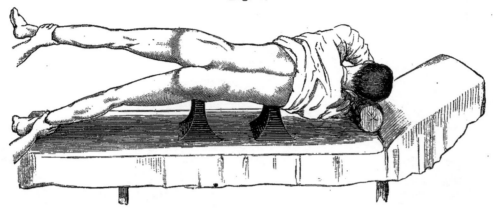

Fig. 48.

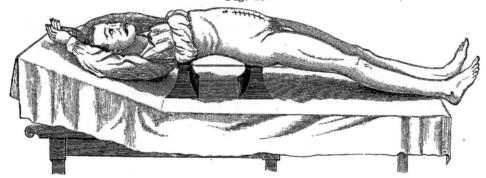

Fig. 49.

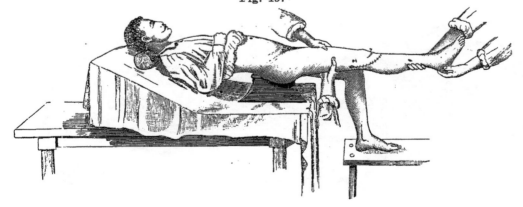

Operationstisch, während die Arme mässig abgezogen werden (Fig.
45). Bei Verbänden in der Beckengegend schiebt man dem Kranken
eine Beckenstütze unter das Kreuz (Fig. 46) oder legt ihn
seitlich auf zwei Stützen (Fig. 47). Bei Bauchverbänden (nach
Laparotomien) sind zwei Stützen am Rücken sehr bequem (Fig. 48).
Bei Verbänden am Bein stellt man die Beckenstütze nicht quer,
sondern in der Körperaxe unter die gesunde Beckenseite, so dass
das kranke Bein frei schwebend gehalten werden kann. Immer
müssen die helfenden Personen so stehen, dass sie dem Verbindenden nicht im Wege sind, namentlich sollen die Hände stets
so zugreifen, dass trotz ruhiger Lage des Gliedes doch kein
Hinderniss durch sie gegeben wird. Daher ist es auch Regel für
den Helfer, mit „langen Armen" zu stehen und das zu verbindende Glied weit von sich zu halten, damit der Arzt bequem
durch den so gebildeten Armring die Binde leiten kann. Soll
eine Hand verbunden werden, so umfasst der Helfer mit der einen
Hand die vier Finger, mit der anderen den Daumen; beim Verbinden eines Fusses hält er mit einer Hand die Zehen von
vorn her fest, während er mit drei Fingerspitzen der andern Hand
die Hacke unterstützt.

Fig. 50.

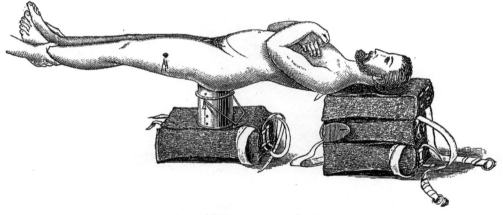

Improvisirter Lagerungsapparat.

Wie man sich im Kriege in Ermangelung von Beckenstützen
mit den augenblicklich nur vorhandenen Gegenständen helfen kann
(z. B. bei Anlegung eines Beckenverbandes wegen Verletzung des
Oberschenkels), zeigt Fig. 50. Hier sind Tornister und Feld-

kessel, Blechbüchsen dazu verwandt. Im Nothfalle kann man
auch den Rand eines Grabens oder Erdwalles benutzen. Im
Frieden wird man noch weniger in Verlegenheit kommen bei der
Improvisirung und schnellen Herstellung solcher Unterlagen.

Die Lagerung des Kranken im Bett

erfordert viel Umsicht und praktische Uebung. Zunächst muss
das Bett so gestellt werden, dass es möglichst von allen Seiten
zugänglich ist, also nirgends die Wand berührt; da hierdurch aber
der Raum sehr beschränkt sein würde, so begnügt man sich
meistens damit, nur drei Seiten freizulassen, indem man das
Kopfende des Bettes an die Wand rückt, am besten an die
Fensterwand, weil hier der Kranke durch das Licht nicht
geblendet wird. Stellt man das Bett so, dass das Licht seitlich
darauf fällt, so muss diejenige Wand gewählt werden, an welcher
der kranke Körpertheil voll beleuchtet ist, widrigenfalls man beim
Verbinden die Wunde immer nur beschattet sieht.

Zur bequemen Lagerung sehr schwacher, elender Kranken
kann man die **Luftkränze** und **Wasserkissen** oft nicht entbehren. Will der Kranke (z. B. bei den Mahlzeiten) eine mehr

Fig. 51.

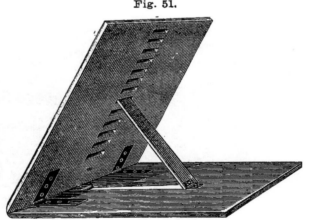

Stellbares Stützbrett.

sitzende Stellung einnehmen, so ist das Aufschichten vieler Kissen
hinter seinem Rücken ziemlich unbequem. Zweckmässiger ist das
stellbare **Stützbrett** (Fig. 51), welches unter dem Kopfkissen
auch zusammengeklappt liegen bleiben kann. Es lässt sich er-

setzen durch einen umgekehrten leichten Stuhl, der mit der Lehne
und vorderen Sitzkante nach unten hinter das Kissen gestellt wird.
Wird dem Kranken das Aufrichten im Bett von selbst schwer,
so erleichtert man ihm dieses durch einen **Aufrichter**, eine
Schlinge, welche man am Fussende des Bettes bis in seinen Hand-
bereich führt.

Verbundene Glieder liegen immer etwas erhöht auf Spreukissen (oder in den unten·besprochenen Apparaten). Man

Fig. 52.

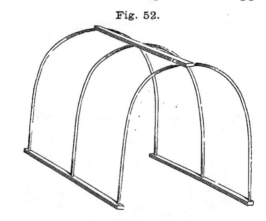

Schutzkorb.

Fig. 53.

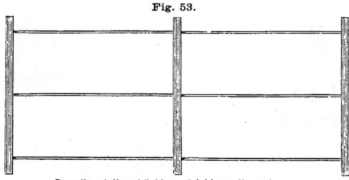

Derselbe platt gedrückt zur leichteren Verpackung.

schützt sie vor dem oft·unangenehm empfundenen Druck der
Bettdecke und vor sonstigen zufälligen Berührungen durch einen
Schutzkorb (Reifenbahre), aus drei durch starken Draht verbundenen
Stäben (Fig. 52, 53).

Bei Kranken endlich, welche so schwere Wunden haben, dass sie am besten möglichst unbeweglich liegen müssen, denen jede Bewegung Schmerz verursacht, oder welche unbesinnlich da-liegen, sind **Hebevorrichtungen** sehr wohlthätig, mittelst derer man leicht und bequem den Kranken im Bett aufheben kann, um den Verband oder die Bettwäsche zu erneuern, die Rückseite des Körpers zu reinigen, zu waschen und vor dem Durchliegen zu hüten und um die Stuhlentleerung zu ermöglichen.

Fig. 54.

Krankenheber nach Hase-Beck.

Am meisten gebraucht und durch die Sicherheit und Leichtig-keit seiner Arbeitsleistung besonders empfehlenswerth ist der **Krankenheber** nach Hase-Beck (Fig. 54). Derselbe besteht aus 5 Armpaaren, deren untere schaufelförmige Enden gepolstert sind und den Kranken sicher tragen (wie die Hände ebenso vieler Wärter). Der in den Zangenarmen liegende Kranke kann

Fig. 55.

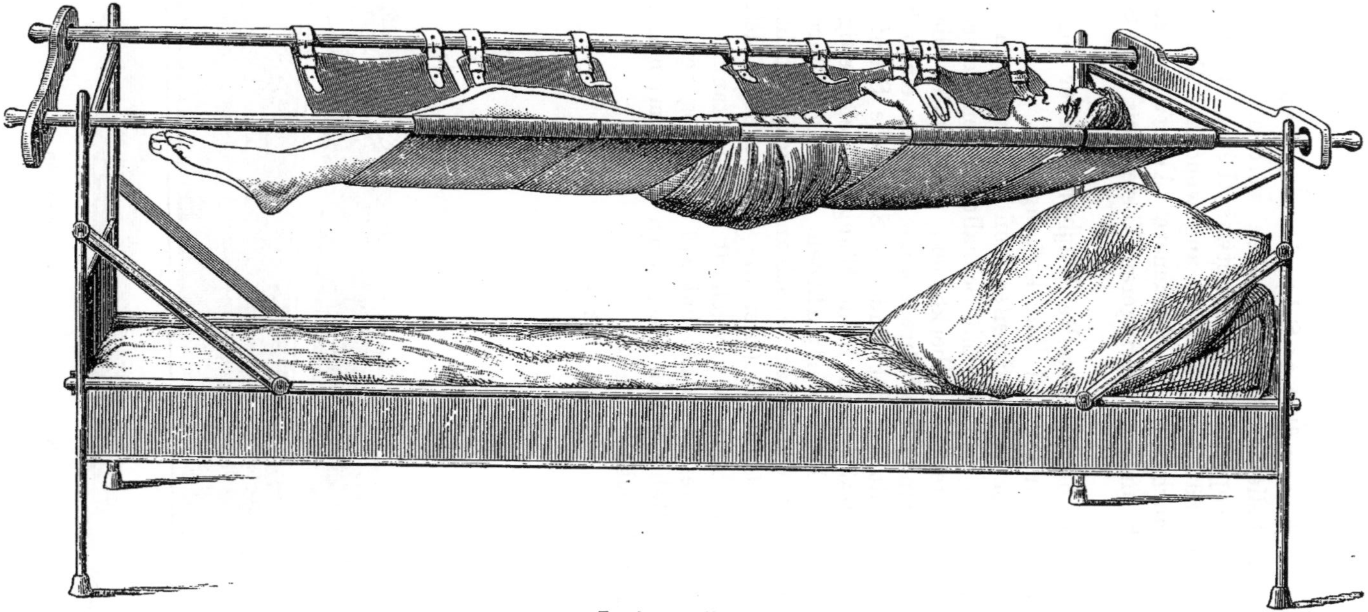

Tragbahren-Heber.

durch eine mit unendlicher Schraube versehene Kurbel gleichmässig in jede beliebige Höhe gehoben werden.

Da dieser Apparat immerhin etwas theuer ist, wird er wohl
nur in Krankenhäusern häufiger angewendet. Deshalb ist es
dienlich, sich auch für bescheidenere Ansprüche solche Vorrichtungen rasch und mit geringeren Kosten aus dem Stegreif anzufertigen.

Der in Fig. 55 dargestellte **Tragbahrenheber** empfiehlt sich
durch seine Einfachheit und Zweckmässigkeit.

Man lässt vier breite Streifen von Segeltuch an einer Stelle
mit Hülsen, an der anderen mit Schnallenriemen versehen, schiebt
zwei derselben unter den Oberkörper, zwei unter die Beine des
Kranken, steckt eine Tragbahrenstange auf der einen Seite durch
die Hülsen, schnallt auf der anderen Seite die Streifen an einer
zweiten Stange fest, lässt beide Stangen gleichzeitig am Fuss-
und Kopfende des Bettes emporheben und dort durch zwei mit
Löchern versehene Querhölzer auseinander gespannt halten.

Der verwundete Theil (hier die Hüftgegend) bleibt frei, so
dass der Verband bequem gewechselt werden kann.

Einen ähnlichen Apparat hat L a u b angegeben.

Auch der **Heberahmen** nach v o n V o l k m a n n eignet sich
gut für diese Zwecke.

Fig. 56.

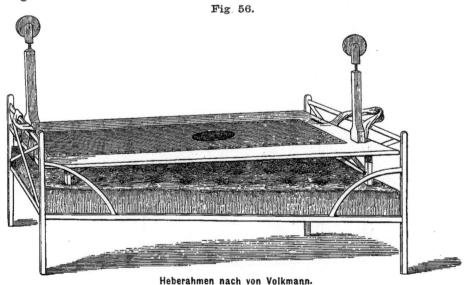

Heberahmen nach von Volkmann.

Das zwischen dem Holzrahmen ausgespannte Segeltuch hat
in der Mitte ein Loch für die Defaecation. Mittelst der an beiden
Enden angebrachten Gurthenkel wird der Rahmen mit dem Kranken
emporgehoben und durch die aufzuklappenden Holzfüsse in dieser
Stellung erhalten. Rollenträger für die Extensionsbehandlung sind
auf dem Rahmen selbst befestigt.

Ferner ist der von Siebold erfundene **Krankenheber** wegen
seiner Einfachheit zu empfehlen (Fig. 57).

Fig. 57.

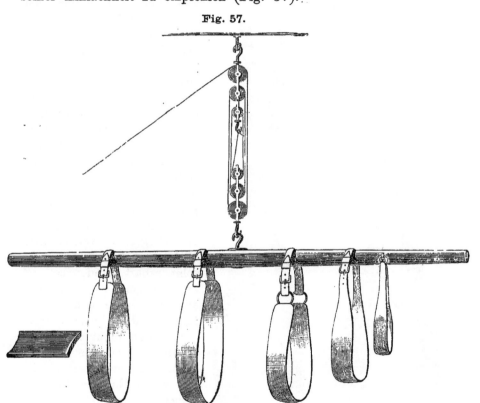

Krankenheber nach von Siebold.

Die starke Tragstange wird durch einen an der Zimmerdecke
befestigten Flaschenzug leicht emporgezogen. Da die Schnallengurten, in welchen der Kranke schwebt, sich beim Aufziehen fest
an den Körper anschmiegen, so muss an den Stellen, wo dies
vermieden werden soll, oberhalb des Körpertheiles ein Brett, wie

es links abgebildet ist, eingeschoben werden, welches den Gurt auseinander spannt.

Secundäre Antisepsis.

Alle frischen Wunden, welche offenbar verunreinigt sind, und alle anfangs für aseptisch gehaltenen, bei denen sich Erscheinungen der Sepsis (reichliche Wundsecretion, Schmerzhaftigkeit und Schwellung der Wundgegend, Entzündung, Eiterung, Wundfieber) eingestellt haben, müssen sofort einer gründlichen Desinfection unterworfen werden und diese muss um so energischer sein, je drohender die septischen Erscheinungen aufgetreten sind.

Es kommen hier dieselben Grundsätze zur Anwendung, welche für die primäre antiseptische Wundbehandlung gelten, und da die Eingriffe, welche hier nöthig werden, meist recht schmerzhaft sind, so ist es rathsam, den Kranken auf den Operationstisch zu legen und zu narcotisiren, damit man nicht durch das Jammern und die Unruhe desselben verhindert werde, mit voller Energie die Desinfection vorzunehmen.

Wie bei allen Operationen beginnt man mit der sorgfältigen Reinigung und Desinfection der ganzen Umgebung der Wunde, sperrt, wenn es sich um Wunden der Glieder handelt, nach senkrechter Erhebung derselben den arteriellen Zufluss durch die elastische Umschnürung ab, erweitert die

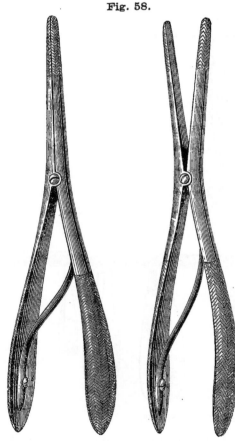

Fig. 58.

Geschlossen. Geöffnet.
Sperrzange nach Roser.

Wunde durch ausgiebige Spaltung der Haut und durch Ausein-
anderdrängen der tieferliegenden Weichtheile mit dem Finger, der
Kornzange oder der Sperrzange (Dilatator) [Fig. 58] und
zieht sie mit Hülfe von stumpfen Wundhaken (Fig. 59, 60) so
weit auseinander, dass die ganze innere Wundfläche dem Auge
zugänglich wird.

Nun werden zunächst alle Blut-
gerinnsel (und Granulationen) mit dem
Finger, mit Tupfern, mit Schwämmen
und mit dem scharfen Löffel (Fig. 61)
ausgeschabt, alle blutig oder eitrig
infiltrirten Gewebsfetzen, Membranen,
Zellgewebsschichten und Muskeltheile
mit Pincette, Scheere und Messer ab-
getragen, alle fremden Körper (Kleider-
fetzen, lose Knochensplitter, Kugeln,
Erde, Schmutz) beseitigt, mit dem
Finger dringt man in alle Taschen
und Ausbuchtungen der Wundhöhle ein und macht am Ende derselben Einschnitte durch die Fascie
und Haut (Gegenöffnungen, Knopf-
löcher), um Drainröhren einlegen zu
können.

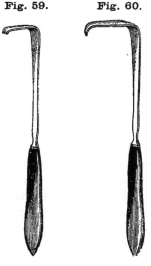

Fig. 59.   **Fig. 60.**

Kleinerer   Grösserer
stumpfer Haken nach v. Langenbeck.

Darnach wird eine gründliche
Auswaschung und Ausspülung der Wundhöhle vorgenommen
mit antiseptischen Lösungen, die um so stärker sein müssen, je
weiter die Sepsis bereits vorgeschritten ist.

In leichteren Fällen genügen die schwachen Carbol- $(3\,^0/_0)$
oder Sublimat-Lösungen $(1:5000)$; in den schwereren muss man
stärkere Lösungen von Carbolsäure $(5\,^0/_0)$, Sublimat $1\,^0/_{00}$, Lysol
$2\,^0/_0$ oder die $8\,^0/_0$ Chlorzinklösung in Anwendung bringen.

Fig. 61.

Scharfer Löffel.

Dann werden überall und namentlich in die Ausbuchtungen
so viele Drainröhren eingelegt, dass die Ableitung der Wund-

5*

secrete aus allen Theilen der Wunde gesichert erscheint, und darnach werden die Hautschnitte wieder theilweise, aber nicht allzu fest zugenäht.

Nun folgt ein antiseptischer Compressionsverband, am besten aus Krüllmull, der so lange liegen bleibt, bis man die Drain-röhren wieder entfernen will, was möglichst bald geschehen sollte (nach 5—6 Tagen).

Oft gelingt es auf diese Weise noch, primäre Heilung zu erzielen.

Ist aber die Sepsis schon weit fortgeschritten, ist schon stinkende Absonderung, Belag oder Zerfall der Wundflächen vor-handen, oder sind die gequetschten Weichtheile im brandigen Ab-sterben begriffen, dann muss man auf primäre Heilung verzichten, die Wunde genügend erweitern und offen lassen und sie mit anti-septischen Verbandstoffen bedecken oder ausstopfen (tamponiren). Am besten eignet sich hierzu die Jodoformgaze, welche sicher fernere Zersetzungen verhindert, ohne doch, wie die starken Anti-septica, örtlich zu ätzen.

Bei grossen offenen septischen Wunden (Zermalmungen durch Maschinen, Quetschungen etc.) lässt man **antiseptische Umschläge** (mit Mullcompressen, die in essigsaure Thonerde, in Sublimat- oder Carbollösung getaucht sind) anwenden, welche häufig (jede Stunde) gewechselt werden, und spült bei jedem Verbandwechsel die Wunde mit deselben Flüssigkeit aus, oder man wendet die **antiseptische Immersion** an, d. h. man lässt den verletzten Körpertheil Tag und Nacht, oder wenigstens am Tage viele Stunden lang in anti-septischer Flüssigkeit baden.

In den schlimmsten Fällen aber von acuter septischer Phlegmone (die bei schweren Zertrümmerungen und grossen diffusen Blutextravasaten bisweilen schon am ersten Tage auftritt), wo man die rasch fortschreitende jauchige Infiltration des Zell-gewebes erkennt an der harten, dunkelrothen und schmerzhaften ödematösen Schwellung der Haut, welche sich schnell über das ganze Glied ausbreitet und welche von hohem Fieber und äusserstem Verfall der Kräfte begleitet ist, da leistet bisweilen noch die

permanente antiseptische Irrigation (Durchrieselung)

vortreffliche Dienste. Dieselbe hat den Zweck, beständig frische antiseptische Flüssigkeit in die Wunde eindringen zu lassen und mittelst derselben die fauligen Secrete wegzuschwemmen.

Um dies zu erreichen, macht man, ausser den vorher beschriebenen Eingriffen, zahlreiche kleine (2—3 cm lange) Einschnitte (multiple Scarification) durch Haut und Fascien, namentlich überall da, wo die Hautdecken von ihrer Unterlage abgelöst sind, um den Wundsecreten freien Abfluss zu verschaffen und die antiseptischen Flüssigkeiten überall in die Tiefe dringen zu lassen. Ist die Blutung aus den entzündeten Geweben dabei wie gewöhnlich sehr stark, so stillt man sie am besten zuerst durch feste Tamponade und Einwickelung mit antiseptischen Mullbinden, welche man einige Stunden liegen lässt.

Dann werden in alle Oeffnungen Drainröhren bis in die Tiefe der Wunde eingeführt und in einige derselben die Spitzen von Duschen eingeschoben, welche über dem Bette aufgehängt sind und nicht giftige antiseptische Flüssigkeiten enthalten, z. B. Lösungen von essigsaurer Thonerde (0,5—1 $^0/_0$), von hypermangansaurem Kali (3 $^0/_0$) oder besser von Wasserstoffsuperoxyd (3 $^0/_0$), von Borsäure (4 $^0/_0$), Creolin (0,5 $^0/_0$), Thymol (0,1 $^0/_0$): die beiden zuerst genannten Lösungen geben schmierige Niederschläge, welche die Röhren verstopfen und eine öftere Ausspülung derselben nöthig machen. (Die giftigen Antiseptica sind für diesen Zweck nicht ohne Gefahr zu verwenden.)

Dann lässt man einen Strom dieser Flüssigkeiten, dessen Schnelligkeit durch Hähne geregelt werden muss, in die Wunde eindringen. Die aus den freigebliebenen Drainröhren austretende Flüssigkeit läuft auf eine unter das Glied gelegte wasserdichte Unterlage und wird in einem Eimer aufgefangen. Auch die Lagerung auf Bardeleben's oder Volkmann's Drahtschweben (s. u.) eignet sich sehr gut für diesen Zweck.

Sehr praktisch ist der **Apparat zur permanenten Irrigation** nach Starke (Fig. 62). Er besteht aus einem 50 cm langen, 5 cm weitem Glasrohr, an welchem Ausflussöffnungen für fünf Gummischläuche angebracht sind; letztere sind mit Glasspitzen versehen, welche in die Drainröhren eingeführt werden. Durch Hähne kann man die Stromgeschwindigkeit in jedem Schlauche regeln und durch eingeschobene Drähte den Schläuchen die gewünschte Biegung geben. Einen in der Czerny'schen Klinik gebräuchlichen, recht zweckmässigen Apparat beschrieb auch von Meyer.

Es ist nothwendig, die Wirkung der Durchrieselungsapparate stets zu überwachen. Die antiseptische Flüssigkeit soll nicht in ununterbrochenem Strahle durchlaufen, sondern nur in raschem Tropfenfall. Um dies richtig zu erkennen, ist es bisweilen zweckmässig, die von Volkmann angegebene gläserne **Tropfröhre** (Fig. 63) in den Irrigatorschlauch einzuschalten.

Fig. 62.

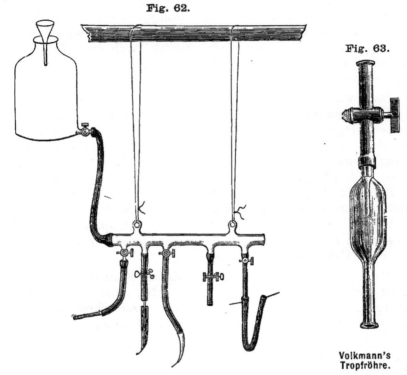

Fig. 63.

Volkmann's Tropfröhre.

Starke's Apparat zur permanenten Irrigation.

Nach der Durchrieselung pflegt gewöhnlich bald ein Sinken der Temperatur und eine Besserung des Allgemeinbefindens einzutreten. Immerhin ist aber ihre Anwendung ziemlich umständlich und erfordert Vorbereitungen und stetige Ueberwachung. Ihre Wirksamkeit scheint hauptsächlich in der schnellen Ableitung der Wundsecrete zu liegen, weniger in einer Desinfection der absondernden Granulationsfläche, welche meist durch das Verfahren stark gereizt, angeätzt und zu reichlicher Absonderung angeregt wird. Jedenfalls scheint die sorgfältige und so oft als nöthig erneuerte Tamponade mit Jodoformgaze oder Lysolgaze mindestens ebenso gut zu wirken und hat den Vorzug, einfacher und leichter ausführbar zu sein.

***

Während die Antisepsis im weitesten Sinne des Wortes die Entzündung und überhaupt die Infection von W u n d e n aller Art beseitigt, benutzen wir zur Bekämpfung der Entzündung solcher Gewebe, welche in der Tiefe unter der u n v e r s e h r t e n Haut liegen, zu denen die Luft keinen Zutritt hat, die

Antiphlogose.

Ruhe, hohe Lage und **Wärmeentziehung** sind ihre Hauptmittel:

Von der **Ruhe** verletzter und entzündeter Körpertheile handelt ein grosser Theil der folgenden Kapitel (Verband, Lagerung).

Hohe Lage befördert den Abfluss des venösen Blutes und der Lymphe, erschwert den arteriellen Zufluss, wirkt dadurch der Blutüberfüllung (Hyperaemie) entgegen und beschleunigt die Resorption von Extravasaten und Exsudaten.

Zur H o c h l a g e r u n g d e r G l i e d e r benutzt man gewöhnlich längliche Kissen, mit Spreu, Häcksel, Sand u. dgl. gefüllt, von denen man je nach Bedarf mehrere über einander legt und den leicht verschieblichen Inhalt nach beiden Seiten hin drängt, so dass eine Längsrinne zur Aufnahme des Armes oder Beines gebildet wird. Doch sind auch noch zahlreiche, weniger einfache Apparate in Gebrauch, welche eine steilere Lage ermöglichen.

So dienen zur Hochlagerung der Hand:

a. das **stellbare Schrägbrett** (von E s m a r c h, Fig. 71), welches auf einem neben dem Bette stehenden Tische ruht oder auf einem Bettbrett, welches zugleich so eingerichtet ist, dass es das bei der Irrigation abfliessende Wasser in den Eimer leitet.

b. die **Suspensionsschiene** (von V o l k m a n n, Fig. 64). Der ganze Arm wird auf derselben mit Schlangengängen festgewickelt und mittelst eines am unteren Schienenende befestigten Strickes emporgehoben und (an einem Galgen) aufgehängt.

Zur Hochlagerung des Beines kann man entweder die verschiedenen Lagerungsapparate (P e t i t' s Beinlade, doppelt geneigte Ebene etc.) verwenden, oder man suspendirt die Glieder, wenn dieselben in feste Verbände eingeschlossen sind, mittelst

einiger Stricke und Holzleisten derart, dass der Fuss höher hängt
als der übrige Körper (Fig. 66).

Fig. 64.

Suspensionsschiene nach von Volkmann.

Aus denselben Gründen ist bei Verletzungen des Rückens die
Bauchlage, bei Verletzungen des Kopfes und Halses die halb-
sitzende Stellung zu empfehlen.

Zur Herabsetzung der Hitze in entzündeten Theilen dient die
Kälte oder **Wärmeentziehung,** welche auf verschiedene Weise angewendet wird:

1. in Form **kalter Umschläge;** dieselben müssen sehr häufig
gewechselt werden, wenn sie wirklich ständig Wärme entziehen
sollen, und beunruhigen dann leicht den verletzten Theil. (Lässt
man sie länger liegen, so dass sie heiss werden, so wirken sie
e r r e g e n d (P r i e s s n i t z'sche Umschläge). Man benutzt am einfachsten zwei Compressen, von denen die eine g u t a u s g e d r ü c k t
im Gebrauch ist, während die andere in einer Schale mit kaltem
Wasser neben dem Bett liegt. Zweckmässig ist es, in das Wasser
einige Eisstücke zu legen. Kann man nicht hinreichend kaltes
Wasser haben, so empfiehlt sich die Anwendung einer Kälte-
mischung (1 Th. Salmiak und 3 Th. Salpeter, grob gepulvert mit
einer Mischung von 6 Th. Essig und 12—24 Th. Wasser be-
feuchtet) [S c h m u c k e r].

2. Als **trockene Kälte,** am besten durch **Eis** in Kautschuk-
beuteln (Eisbeutel).

Die Eisbeutel müssen sicher verschlossen werden durch Holz-
rollen oder grosse Korkstöpsel (Champagnerpfropfen), um welche
das g e s c h l o s s e n e Mündungsstück des Beutels durch ein schmales
Band fest angeschnürt wird (Fig. 67). Die mit Schraubenverschluss

Fig. 65.

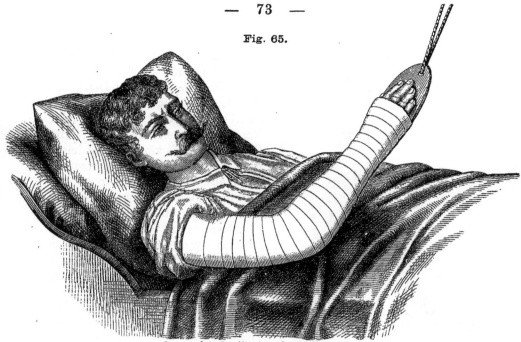

Suspension der Hand nach von Volkmann.

Fig. 66.

Suspendirung eines gefensterten Gipsverbandes an dem Galgen.

Fig. 67.

Eisbeutel.

aber nicht so gut dem Körpertheile an. Doch sind die kalten
Flaschen in der Armenpraxis und
als Nothbehelf sehr gut zu verwerthen (z. B. am Damm, in der
Achsel und Leistengegend).

Bei der Behandlung ent-
zündlicher Wirbelerkrankungen
(Spondylitis) leisten Blechkasten, welche genau nach
der Körperform gearbeitet sind
und mit kaltem Wasser ge-
füllt werden, ausgezeichnete
Dienste (von Esmarch), da

versehenen Eisbeutel halten weniger
lange dicht und sind theurer.

Wird die Abkühlung zu
stark, so legt man einige
Schichten Leinewand oder
Mull zwischen Eisbeutel und
Körpertheil. Es könnte sonst leicht
Erfrierung und Brand eintreten;
die Kälte soll immer nur angenehm empfunden werden:
dann lindert sie auch am besten
die Schmerzen.

Schweinsblasen lassen
leicht Wasser durch und faulen bald.
Um ersteres zu verhüten, muss
man sie vor dem Gebrauch aussen
und innen mit Lack, Firniss bestreichen oder mit Fett einreiben.
Die Fäulniss verhütet man durch
Auswaschen in antiseptischen
Lösungen vor jeder neuen Füllung.

Glasflaschen und Blech-
büchsen, mit Eis oder kaltem
Wasser gefüllt, entziehen die
Wärme noch energischer als
Kautschukbeutel, schmiegen sich

Fig. 68.

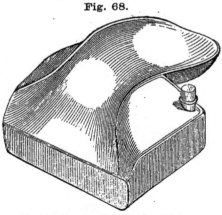

Blechkasten für die Halswirbelsäule.

die Kranken auf ihnen bequem liegen und die Wärmeentziehung recht beträchtlich ist. Fig. 68 zeigt einen Kühlkasten für die Halswirbelsäule.

Eine sehr starke Abkühlung bei Entzündungen an den Extremitäten lässt sich durch die **Kühlschlange** (v. Esmarch, Fig. 69) erzielen, einen langen Kautschukschlauch, den man in Schlangengängen um den entzündeten Theil wickelt und dessen eines Ende, mit einem Stein oder mit einem durchbohrten Zinnklotz versehen, in einen mit Eiswasser gefüllten Eimer versenkt wird, während das andere Ende in einen leeren Eimer herabhängt. Durch Ansaugen an dem letzteren Ende entsteht eine Circulation von Eiswasser, welche durch Umschnürung des abführenden Endes mittelst eines Fadens geregelt werden kann. Ist der obere Eimer leer geworden, so wird er durch Eingiessen des abgeflossenen Wassers wieder gefüllt.

Leiter hat zu denselben Zwecken dünne biegsame Bleiröhren benutzt, welche noch rascher und stärker kühlen, weil das Metall bekanntlich besser die Wärme leitet, als Kautschuk (Fig. 70).

Zur Abkühlung des ganzen Körpers in fieberhaften Krankheiten kann man sich der Kühldecke bedienen, einer leinenen Decke, deren eine Seite mit dicht nebeneinander laufenden Windungen eines Gummischlauchs benäht ist (v. Esmarch); einfacher ist es, ein grosses Wasserkissen mit Wasser von der gewünschten Temperatur zu füllen und den Kranken darauf zu legen. Diese stetige Kältewirkung wird dann freilich unangenehmer empfunden, als eine Einwicklung in ein nasses Laken, oder das kurze Verweilen in einem kühlen Vollbade, womit man ähnliche Erfolge erzielt.

3. Durch **Berieselung** mit kaltem Wasser **(Irrigation)** [Fig. 71].

Aus einem Irrigator, der über dem Bette aufgehängt wird, lässt man kaltes Wasser in Tropfen rieseln auf den verletzten Theil, der mit einer Binde bedeckt ist, in welcher sich das Wasser vertheilt. Durch Hineinschieben einer Stroh-Aehre in die Spitze des Irrigators wird die Geschwindigkeit des Tropfenfalles geregelt. Statt des Irrigators kann man sich auch eines Kautschukschlauches bedienen, der an dem einem Ende mit einem Hahn versehen ist, am anderen Ende mit einem durchbohrten Zinnklotz, welcher in einen mit Wasser gefüllten Eimer versenkt wird. Der Schlauch wirkt als Heber und muss durch Ansaugen in Thätigkeit gesetzt

Fig. 69.

Kühlschlange nach von Esmarch.

Fig. 70.

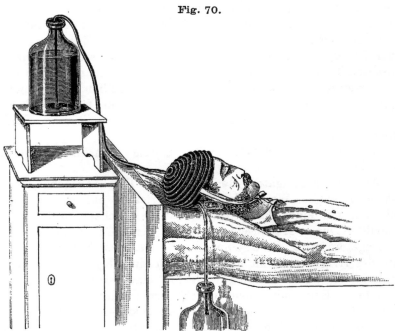

Kühlschlange für den Kopf nach Leiter.

werden. Ebeñso kann man kleine Heber aus Glas oder Blechrohr
für diesen Zweck verwenden. Die wärmeentziehende Wirkung der
Berieselung ist sehr gross in Folge der Verdunstung des Wassers.
Man braucht deshalb nicht Wasser von sehr niedriger Temperatur
anzuwenden. Das abfliessende Wasser muss auf einer schiefen
Ebene oder von einer wasserdichten Unterlage (Wachstuch) aufgefangen und in einen untenstehenden Eimer geleitet werden.

4. Durch das kalte locale **Dauerbad (Immersion)**.

Man bedient sich dazu der Arm- und Bein-Badewannen
(Fig. 19, 20), in denen das verletzte Glied auf Bindenstreifen gelagert wird, welche an den auf beiden Seiten der Wannen befind-

Fig. 71.

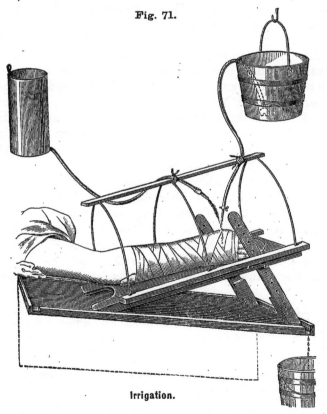

Irrigation.

lichen Knöpfen befestigt sind. Es bedarf keiner sehr niedrigen
Temperaturgrade, da die Wirkung des Dauerbades sehr kräftig
ist. Wasser von 16—18° R. kühlt bei längerer Dauer des

Bades schon sehr merklich ab. Man kann in der Regel dem Kranken selbst die Regulirung der Temperatur durch Zugiessen von kaltem Wasser überlassen*).

Wendet man die eben beschriebene Irrigation und Immersion mit antiseptischen Lösungen bei Wunden an, so können sie sehr gut die permanente Irrigation ersetzen. Namentlich im Dauerbade pflegt meist rasch eine Reinigung und Neigung zur Verheilung bei inficirten Wunden einzutreten.

Die offene Wundbehandlung.

Ehe die antiseptische Wundbehandlung allgemein bekannt wurde, hatte unter allen früheren Methoden die weitaus besten Erfolge die offene Wundbehandlung (Bartscher, Burow), welche die Wunde ganz ohne Kunsthülfe gewissermassen sich selbst überliess, und nur für steten Abfluss der Secrete von der ungenähten und von jeglichem Verbande freigelassenen Wunde sorgte. Ihre Vortheile bestehen: in der Trockenlegung durch stetiges Ablaufen der Secrete und Eintrocknung derselben zu Krusten, welche den Infectionskeimen keinen günstigen Nährboden gewähren; in der Ruhe der Wunde, welche meist durch häufigen Verbandwechsel (oft mit unreinen Stoffen, Charpie, alter Leinewand, Heftpflaster u. s. w.), gestört wurde. Ihre grossen Nachtheile aber hat diese Methode darin, dass man auf die primäre Wundheilung von vornherein verzichtet und der Luft freien Zutritt zu der Wundfläche gestattet, wodurch, besonders in schlecht gelüfteten, schmutzigen Räumen, eine Infection und Zersetzung der Secrete leicht erfolgen kann. Sie darf daher nur angewandt werden, wenn aus irgend einem Grunde die

---

*) Anmerkung: Durch die Versuche von Völckers und Zerssen ist der Beweis geliefert, dass es möglich sei, einen Körpertheil durch locale Wärmeentziehung bis in eine grössere Tiefe hinein abzukühlen: Ein 3—5 cm in das Innere der Tibia (nach Necrotomie) eingeführtes Thermometer liess erkennen, dass an dieser Stelle die Temperatur herabgesetzt wurde: durch aufgelegte Eisbeutel in 9 Stunden um 10°, durch das Dauerbad in allmählich kälter werdendem Wasser (30—12°) in 14 Stunden um 10°, und durch Berieselung mit kaltem Brunnenwasser (8—10°) in 9 Stunden um 9°. — Die Körpertemperatur, im Mastdarm gemessen, sank währenddessen kaum merklich und erreichte noch nicht einmal das normale Minimum. (Esmarch, Verbandplatz und Feldlazareth, II. Auflage 1871, S. 140—143.)

antiseptische Wundbehandlung nicht ausführbar ist. Für den Krieg eignet sie sich garnicht.

Nachdem man die Wunde von groben Verunreinigungen befreit und etwaige Blutungen gestillt hat, giebt man dem Gliede eine erhöhte Lage und stellt unter dasselbe eine kleine Schale zum Auffangen des Secretes. Zum Schutz gegen Insecten und Staub kann man über die Wunde eine einfache Lage Leinwand oder Mull legen.

Fig. 72.

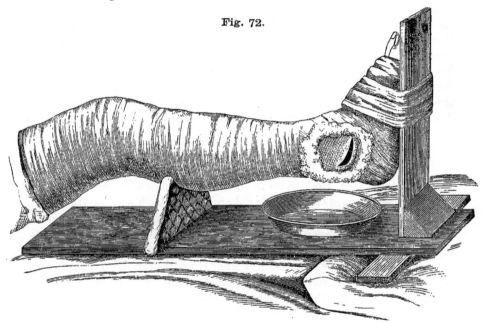

Offene Wundbehandlung im gefensterten Gipsverband.

Sind harte Verbände nöthig, wie bei complicirten Fracturen, schweren Quetschungen, nach Resectionen von Gelenken, so muss an dem Verband die Stelle der Wunde freigelassen werden durch Einschneiden von Fenstern (Fig. 72) oder Anwendung der unterbrochenen Schwebeschienen (s. u.), die namentlich für diesen Zweck von grossem Nutzen sind.

Die Verbände.

Ein Verband soll nicht nur zweckmässig und gut, sondern auch s c h ö n angelegt werden. Ist doch der Verband das Einzige, was der Laie von einer Operation zu sehen bekommt und wonach er sich vielleicht oft ein Urtheil über die Geschicklichkeit des Arztes bildet. In der vorantiseptischen Zeit legte man ganz besonderen Werth auf k u n s t g e r e c h t, nach genauen Vorschriften angelegte Verbände: Jetzt haben wir vor Allem auf die B e s c h a f f e n h e i t der Verbandstoffe unser Augenmerk zu richten, und da die meisten neueren Stoffe sich durch grosse Schmiegsamkeit und Weichheit auszeichnen, so lassen sie sich auch mit geringerer Kunstfertigkeit ganz gut anlegen: Nichtsdestoweniger sollte man aber doch nicht unterlassen, neben der Zweckmässigkeit auch das gute Aussehen eines Verbandes zu erstreben, ohne bei seiner Anlegung übermässig viel Zeit aufzuwenden. Geschicklichkeit und eine „leichte Hand" kann man sich auch ohne besondere natürliche Anlage bis zu einem gewissen Grade durch die Uebung erwerben.

Zum Einhüllen einzelner Körpertheile, zur Befestigung der Verbandstoffe auf der Wunde und der Schienen u. s. w. gebrauchen wir hauptsächlich B i n d e n und T ü c h e r: erstere ausschliesslich beim ersten Wundverband und grösseren Verbänden, die längere Zeit liegen bleiben sollen, letztere bei kleineren, oftmals gewechselten Verbänden und hauptsächlich als w e r t h - v o l l e n Nothbehelf, wenn keine Binden zur Hand sind oder ihre Anlegung zu viel Zeit und Kosten verursachen würde. Da ferner die Tücherverbände leichter und einfacher anzulegen sind, als die Binden, so eignen sie sich besonders für den N o t h v e r - b a n d in Laienhänden.

Die Bindenverbände.

Das Anlegen der Binden, die E i n w i c k e l u n g, muss mit sehr grosser Genauigkeit und Sorgfalt geschehen, da eine schlecht angelegte Binde immer S c h a d e n bringt.

Wird die Binde z.u l o s e angelegt, so erfüllt sie ihren Zweck nicht, die einzelnen Gänge verschieben sich, kommen aufeinander zu liegen und drücken dann an diesen Stellen.

Legt man die Binde z u f e s t an, so tritt durch die Einschnürung alsbald unter heftigen Schmerzen venöse Stauung in dem unterbalb der Einschnürung gelegenen Theile ein, und wenn diese nicht bald beseitigt wird, so folgt brandiges Absterben (Gangrän, Fig. 73) oder eine unheilbare Degeneration der eine Zeit lang vom Blutkreislauf abgesperrten Muskelfasern (ischaemische Muskellähmung und -Contractur, v. V o l k m a n n).

Fig. 73.

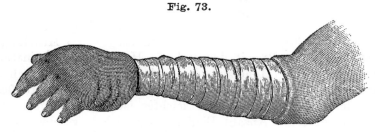

Einschnürende Binde.

Schlecht sitzt auch die Binde, wenn sie stark k l a f f t, d. h. wenn der eine Rand stark angezogen ist und sich in die Haut eindrückt, während der andere von der Körperoberfläche absteht (Fig. 74). Dies tritt am häufigsten ein, wenn man die Binde „quält“, d. h. sie unter Vernachlässigung der vorgeschriebenen Regeln dahin zu laufen zwingt, wohin sie nicht „von selbst läuft“. Eine Binde soll m ä s s i g f e s t angelegt werden, so dass sie sich nicht verschiebt, aber auch nicht drückt; das richtige Maass hierfür kann nur durch Uebung erlernt werden.

T r o c k e n angelegte Binden, welche hinterher nass werden (durch Umschläge, Berieselung), ziehen sich stark zusammen und können dann Stauung verursachen; umgekehrt lockern sich n a s s angelegte Verbände (mit Klebebinden) bei nachfolgender Austrocknung.

Man darf diese also von vornherein fester anziehen, während man jene am besten schon nass anlegt.

Fig. 74.

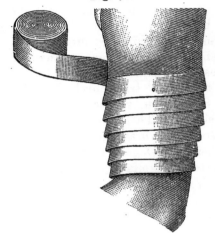

Klaffende Binde.

Gummibinden dürfen fast gar nicht angezogen werden, da ein auch nur geringer elastischer Druck auf die Dauer unerträglich wird.

Ehe eine Binde angelegt wird, muss sie fest und glatt aufgerollt sein. Beim **Aufwickeln** bildet man sich zunächst durch mehrfaches Umlegen eines Bindenendes und Drehen zwischen den Fingerspitzen eine kleine steife Rolle, nimmt diese dann in die Innenfläche der einen Hand, so dass der aufzuwickelnde Theil zwischen Daumen und Zeigefinger (oder zwischen Zeige- und Mittelfinger) hindurchläuft und rollt mit der anderen Hand durch Supinationsbewegungen in der Hohlhand das sich nur mühsam durch die Finger zwängende Bindenende allmählich auf (Fig. 75). Je fester eine Binde aufgerollt ist, desto leichter ist sie anzulegen. Soll schnell eine grössere Anzahl Binden aufgewickelt werden, so bedient man sich am einfachsten einer Bindenwickelmaschine (Fig. 76). Von Anfang bis zum Ende aufgerollte Binden heissen

Fig. 75.

Fig. 76.

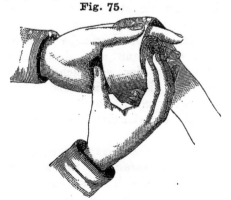

Aufwickeln der Binde.

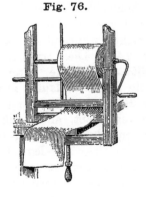

Bindenwickelmaschine.

einköpfige, zweiköpfige nennt man sie, wenn sie von jedem Ende her bis zur Mitte aufgewickelt sind.

Beim **Anlegen** hält man das Ende mit dem linken Daumen an dem zu verbindenden Körpertheile fest, rollt die Binde von links nach rechts um denselben herum, bis der Anfang gedeckt und dadurch festgehalten ist, führt von da ab die Binde immer möglichst dicht am Körper entlang, und am besten auf ihm selbst abrollend, langsam weiter in den unten beschriebenen Gängen, aber immer centripetal, dem Lymphstrom entsprechend.

Zur Befestigung des Binden- endes dient eine Stecknadel oder besser eine Sicherheitsnadel. Fehlt eine solche, oder will man sie sparen, so spaltet man das Ende der Binde (namentlich bei Mullbinden) der Länge nach durch Ein- reissen, führt die eine Hälfte hinten herum zurück und knotet sie vorne mit der anderen zusammen (Fig. 77).

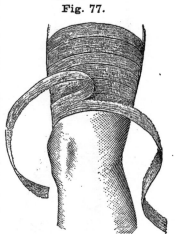

Fig. 77.

Beim **Abwickeln** fasst man die Binde vom Ende her locker zusammen, wie ein Knäuel, und wirft das Abgewickelte behutsam von einer Hand in die andere, wobei die Binde das Glied in der Luft umkreist, ohne es zu berühren oder hin und her zu zerren. Die werthloseren Gazebinden werden mit der Scheere durchgeschnitten.

Wir unterscheiden folgende Gänge (Touren):

1. Der **Kreisgang** (Zirkelbinde, fascia circularis) um- giebt in völlig sich deckenden Touren den Theil ringförmig (Fig. 78 unten).

2. Der **Hobelgang** (Schrauben-, Spiralbinde, dolabra ascendens) umkreist das Glied schraubenförmig allmählich an- steigend; die einzelnen Gänge decken sich etwa zur Hälfte (Fig. 79).

3. Der **Schlangengang** (dolabra repens) steigt in steileren Schraubenwindungen, das Glied nur unvollständig bedeckend, empor. An Gliedern mit zunehmendem (kegelförmigem) Umfang entstehen diese Gänge von selbst, wenn man den Bindenkopf auf der Haut entlang laufend gewissermassen sich selbst abrollen lässt (Fig. 78 oben). Um daher an Theilen von zunehmender Dicke (Unterarm, Ober-

6*

Fig. 78.

Fig. 79.

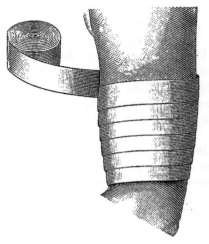

Hobelbinde.

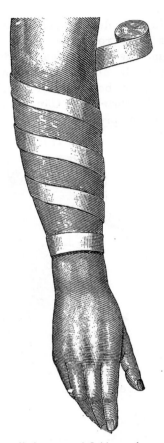

Kreisgang und Schlangentour.

und Unterschenkel) eine gleichmässige Einhüllung zu ermöglichen, muss die Binde, nachdem
sie zu steil aufwärts gestiegen
ist, an der andern Seite wieder
abwärts geleitet werden. Dies ist:

4. Der **Umschlag** (Inversio,
dolabra reversa, Renversé). Dort
wo die Binde die vorhergehende
Tour nicht mehr decken will,
setzt man die Daumenspitze der
linken Hand auf den unteren Binden-
rand (Fig. 80), wechselt mit der die Binde führenden rechten Hand
aus der Pronation in die Supinationsstellung, nähert sie zugleich
dem Gliede, so dass die bis dahin straff gezogene Binde völlig
locker wird (Fig. 81) und dreht den Bindenkopf einmal nach
unten um, so dass die Hand wieder pronirt ist. Es entsteht eine
glatte Falte in der Binde, deren rollendes Ende nun abwärts
steigend um das Glied herumgeführt (Fig. 82) und an der vorigen
Stelle wiederum umgeklappt wird. Folgen so sich viele Umschläge
aufeinander, so sollen ihre Winkel (des guten Aussehens halber)
eine regelmässige Zickzacklinie in der Achse des Gliedes bilden.

Fig. 80.

Fig. 81.

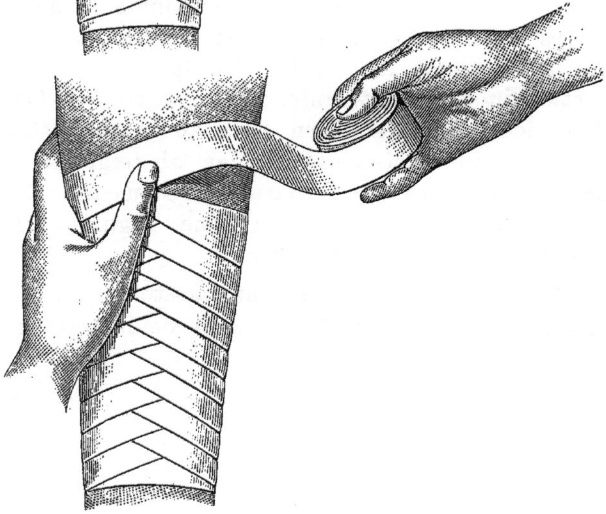

Fig. 82.

Die einzelnen Gänge decken sich dabei etwa zur Hälfte. Umschläge gut und schnell zu machen erfordert Uebung und Geschicklichkeit. Fast von selbst legt sich die Binde um, wenn sie dabei locker gehalten und gleich nach dem Umschlag wieder angezogen wird: starkes Anspannen beim Umschlagen erzeugt nur unschöne Wülste.

5. Der **Kreuzgang** (Achtertour, Kornähre, S p i c a) kommt da zur Anwendung, wo die Binde über ein Gelenk hinweg auf einen andern Körpertheil übergeht, und bei der grossen Veränderung des Umrisses einfach aufsteigende Bindengänge nicht möglich sind. Hier führt man die Binde s c h r ä g über die eine Seite des Gelenks, quer über die andere Seite und kreuzt dann schräg aufsteigend die erste Schrägtour. Der Kreuzungspunkt liegt etwa in der Mittellinie. Die einzelnen Gänge decken sich an ihm nicht völlig, sondern etwa zu zwei Dritteln (Fig. 99). Je nachdem sie in aufsteigender oder absteigender Linie wiederholt werden, erhält man die S p i c a a s c e n d e n s oder d e s c e n d e n s. Die Kreuzungen bilden dann eine Figur, entfernt ähnlich der Grannenstellung einer Kornähre.

Lässt man aber die Kreuzungsstellen sich decken und die Schlingen der einzelnen Gänge sich beiderseits fächerförmig ausbreiten, so entsteht

Fig. 83.   Fig. 84.

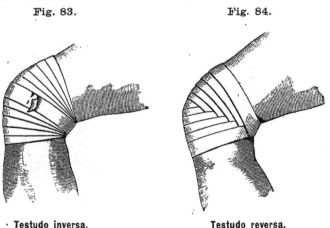

· Testudo inversa.   Testudo reversa.

6. Der **Fächergang** (Strahlen-, Schildkrötentour, T e s t u d o). Derselbe ist nur gebräuchlich zur Einwicklung des gebeugten Knies und Ellbogens. Je nachdem man mit den Gängen von den

Seiten anfangend nach der Mitte zu geht und hier mit einem
Kreisgang abschliesst oder mit diesem beginnt und allmählich beide
Seiten deckt (den Fächer schliesst oder öffnet), unterscheidet man
die Testudo inversa und reversa (Fig. 83, 84).

Von den früher sehr zahlreichen, aber jetzt weniger gebrauchten Binden für besondere Zwecke sind zu erwähnen:

Fig. 85.

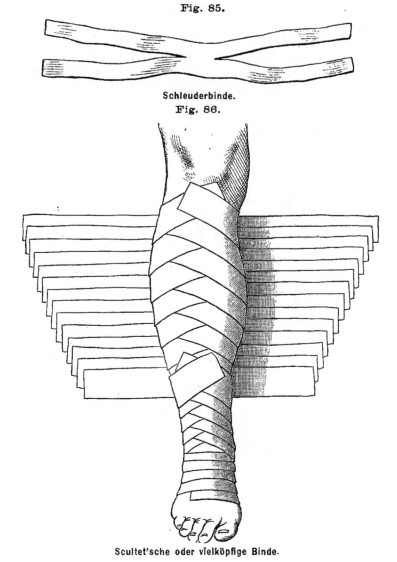

Schleuderbinde.

Fig. 86.

Scultet'sche oder vielköpfige Binde.

Die **zweiköpfige Binde**, welche von beiden Enden her aufgewickelt ist, wurde vorzugsweise am Kopf und bei Amputationsstümpfen gebraucht; ist auch zum Zusammenziehen von Wund-
rändern und Beingeschwüren zu verwenden (s. Fig. 88).

Die **vielköpfige Binde** (Scultet's Binde), aus vielen kurzen
Bindenstreifen bestehend, die sich halb decken, wurde zum Verbinden complicirter Fracturen und zum Gipsverband bisweilen gebraucht (Fig. 86).

Die **Schleuderbinde** (Schleuder, funda), ein etwa meterlanger
Bindenstreifen, der von beiden Enden her nach der Mitte zu
bis auf ein kleines Verbindungsstück gespalten ist, dient zum
sehr zweckmässigen Verband kleinerer Vorsprünge (Nase, Kinn),
indem die Mitte auf den zu schützenden Theil gelegt wird,
während die beiden unteren Enden nach oben, die beiden oberen
nach unten geführt werden (Fig. 85).

Fig. 87.

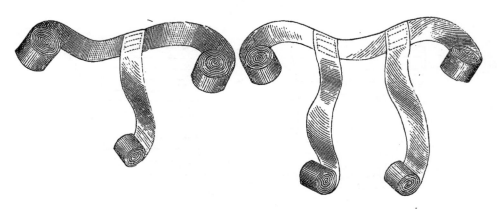

T Binden.

Die **T Binde**, ein Bindenstreif, an dessen Mitte ein anderer
Streif rechtwinklig befestigt ist, dient zu einigen Verbänden am
Becken und Kopf (Fig. 87).

Verbände am Kopf.

Die **zweiköpfige Vereinigungsbinde** (fascia uniens) [Fig. 88].
Man legt die Mitte der Binde dem Orte der Verletzung gegenüber an, führt die Köpfe an-
einander vorbei, dann auf
den Ausgangspunkt zurück
und wiederholt diese Touren,
die man abwechselnd vorne
und hinten sich decken lässt,
mehrere Male.

Fig. 88.

Zweiköfige
Vereinigungsbinde.

Fig. 89.

Pfeilnahtbinde.

Die **Pfeilnahtbinde** (fascia
sagittalis) [Fig. 89], eine
T Binde, welche sich besonders
zur Vereinigung von Quer-
wunden des Schädels eignet.

Die **Kreuzknotenbinde** (fascia nodosa) [Fig. 90], eine zweiköpfige Binde, deren Touren man auf der mit dicker Compresse
bedeckten Wunde mit stärkerem Zuge rechtwinklig kreuzt, wie
beim Schnüren eines Packetes (Packknoten), eignet sich besonders
als Nothverband für stark blutende Wunden, auf welche ein
stärkerer Druck ausgeübt werden soll (Aderpresse). Demselben
Zweck dient eine festangezogene Kravatte oder eine Kautschuk-
binde.

Fig. 90.

Kreuzknotenbinde.

Die **Kopfmütze** (mitra
Hippokratis) [Fig. 91], eine
doppelköpfige Binde, deren
einer Kopf durch Kreisgänge
um Stirn und Hinterhaupt
die Touren des anderen
Kopfes fixirt, welche, halb
einander deckend, abwechselnd
über das rechte und linke
Scheitelbein geführt werden.

Fig. 91.

Kopfmütze des
Hippokrates.

Die **Halfterbinde** (Capistrum) [Fig. 92, 93]. Der erste Gang
beginnt auf dem Scheitel, geht an der rechten Wange abwärts
und unter dem Kinn an der linken Wange hinauf zum Scheitel
zurück. Die zweite Tour läuft nach rückwärts hinter dem
rechten Ohre zum Nacken, an dessen linker Seite nach vorn unter
das Kinn, an der rechten Wange empor zum Scheitel, dicht

hinter dem linken Ohr wieder zur Nackengrube, an der rechten Halsseite vorbei unter dem Kinn an der linken Wange wieder zum Scheitel. Nachdem diese beiden Touren 2—3 Mal wieder-

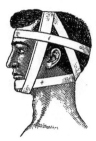

Fig. 92.

holt sind in der Art, dass sie sich dachziegelförmig, etwa zu zwei Dritteln decken, befestigt man dieselben durch einen Kreisgang, um Stirn und Hinterhaupt, der nach Bedarf mehrmals wiederholt wird.

Dieser eigentlich für die Behandlung von Kieferverletzungen angegebene Verband wird in der

Halfterbinde.

Fig. 93.

antiseptischen Chirurgie für die meisten Verbände nach

Halfterbinde.

Kopfoperationen angewendet, da man mit seinen Gängen bei Benutzung breiterer Binden den ganzen Kopf und Hals mit Ausnahme des Gesichtes einhüllen kann (Fig. 93). Legt man ihn mit (nassen) Klebebinden an, so muss man den wesentlichen Verlauf der Touren innehalten, um den Verband gut sitzend zu erhalten.

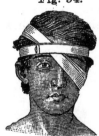

Fig. 94.

Die **Augenbinde** (Monoculus, Fig. 94) zur Deckung der Augengegend beginnt mit einem Kreisgang um Stirn und Hinterhaupt, an welchen sich ein Schräggang über das Scheitelbein zur anderen Seite unter dem Ohre hin anschliesst. Diese beiden Bindengänge werden mehrere Male wiederholt, so dass die Kreis-

Augenbinde.

Fig. 95.

Nasenbinde.

gänge sich stets decken, die Schräggänge aber am Scheitel und unter dem Ohr fächerförmig sich ausbreiten und sich vor der Nase in der Glabella kreuzen.

Zur Deckung beider Augen legt man die Gänge doppelseitig, so dass ein sechsstrahliger Stern entsteht, dessen Mittelpunkt die Nasenwurzel bildet (Binoculus).

Die **Nasenbinde** (Fig. 95) wird am einfachsten mit einem 60—70 cm langen Bindenstreifen angelegt, dessen Mitte auf die Nase gelegt und dessen Enden zu beiden Seiten der Nase einmal um ihre Achse gedreht, quer über die Wange über dem Ohre hinweg zum Hinterhaupt geführt und hier geknotet werden.

Auch kann man diesen Verband mit einer Schleuderbinde anlegen, deren Enden sich neben den Nasenflügeln kreuzend, oberhalb und unterhalb der Ohrmuschel. zum Hinterhaupt ziehen.

Die **Kinnschleuder** (funda maxillae, Fig. 96) zur Befestigung des gebrochenen Unterkiefers und bei kleineren Wunden der Kinngegend, wird mit einem etwa meterlangen, 6 cm breiten Bindenstreifen angelegt, welcher durch Spaltung von beiden Enden her, bis auf ein etwa 5 cm breites Mittelstück zur Schleuderbinde gemacht ist. Das mit einem Schlitz versehene Mittelstück wird auf die Mitte des Kinnes gelegt, die oberen Enden werden wagerecht nach rückwärts zum Hinterhaupt und hier sich kreuzend schräg nach vorn zur Stirne geführt, die unteren Enden steigen steil aufwärts über die Wange zum Scheitel und auf der andern Seite wieder abwärts.

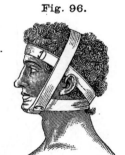

Fig. 96.

Kinnschleuderbinde.

Verbände am Arm.

Zur Einwicklung der einzelnen Finger (**Chirotheka**) bedient man sich am besten einer schmalen Flanell- oder Cambricbinde (Fingerbinde). Von einem Kreisgang um das Handgelenk aus geht man schräg über den Handrücken zur Fingerbasis, umwickelt den Finger in Schlangengängen bis zur Spitze, steigt von hier in Hobelgängen wieder zur Fingerbasis aufwärts und den ersten Gang über den Handrücken kreuzend zum Handgelenk zurück.

Die Einwicklung aller Finger ergiebt sich aus dem eben Gesagten: Vom Handgelenk ausgehend beginnt man mit dem Verbinden des Zeigefingers oder des kleinen Fingers und steigt nach Einhüllung jedes Fingers immer wieder zum Handgelenk empor, so dass schliesslich die Binde auf dem Handrücken über jedem Mittelhandknochen eine Spica bildet (Fig. 97, 98).

Die **Kreuzbinde der Hand** (Spica manus, Fig. 99) zur Deckung des Handrückens und der Hohlhand beginnt mit einer Kreistour über dem Handgelenk oder um die Fingerwurzeln, geht von da in mehrfachen Achtergängen aufsteigend oder absteigend um die Mittelhand herum. In gleicher Weise legt man die Spica pollicis an, welche die Daumenwurzel umhüllt.

Fig. 97.   Fig. 98.

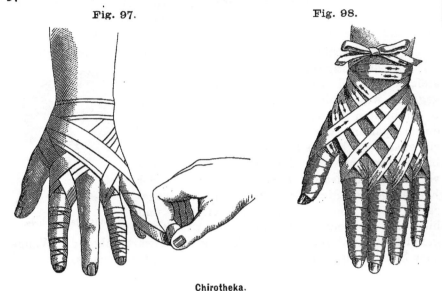

Chirotheka.

Auch kann man mit einer Kreistour um die vier Fingerspitzen beginnend und nun fortgesetzt in Achtergängen bis zum Handgelenk fortschreitend die ganze Hand sammt dem Daumen einhüllen.

Fig. 99.

Spica manus.

Die **Testudo cubiti** wird in gebeugter Stellung des Ellenbogens so angelegt, wie oben beschrieben, dass die einzelnen Gänge sich an der Beugeseite kreuzen.

Die **Schulter-Kreuzbinde** (Spica humeri, Fig. 100) beginnt mit einem Kreisgang im oberen Drittel des Oberarms, steigt von links über die Höhe der Schulter und den Rücken hinwegziehend

Fig. 100.

Fig. 101.

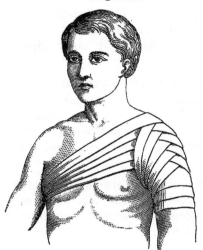

Spica humeri.

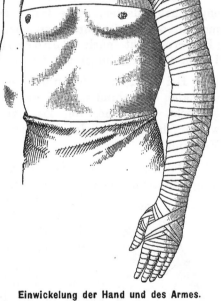

zur Achselhöhle der anderen
Seite und sich auf der kranken
Schulter mit der ersten Tour
kreuzend zum Anfange zu-
rück, verläuft von hier der
ersten Tour parallel, aber sie
zur Hälfte deckend, wiederum
zur Achselhöhle der anderen
Seite, in welcher die Touren
sich vollständig decken sollen
und so fort, bis die ganze
Schultergegend eingehüllt ist.
Zum Schluss führt man einige

Einwickelung der Hand und des Armes.

Gänge um den ersten Kreisgang am Oberarm oder um die
Brust herum.

Die **Einwickelung des ganzen Armes** (Involutio brachii,
Fig. 101) beginnt mit der Einwickelung der einzelnen Finger
und des Daumens mit einer langen schmalen Binde. Mit
einer breiteren legt man nun die Spica manus über die vielen
kleinen Bindenläufe am Handrücken und schliesst mit einem
Kreisgang um das Handgelenk; geht in 1 bis 2 Hobelgängen am

Unterarm in die Höhe, an welche sich nun fortgesetzte Umschläge anschliessen bis zum Ellenbogen, welcher in Achtergängen eingehüllt wird; zum Oberarm aufsteigend, folgen fortlaufend Hobelgänge bis zur Achselhöhle, die Schulter wird mit einer Spica umwickelt.

Allgemeine Regeln für Verbände bei **Verletzungen** der Hand und der Finger: Keine Strangulation! Hemdknöpfe lösen! Hemden- und Unterjackenärmel aufschneiden bis zur Achselhöhle! Einwickelung der Hand nicht anfangen mit einem festen Kreisgang um das Handgelenk! Abhängige Lage der Hand vermeiden.

Bei frischen einfachen Wunden Vereinigung durch englisches Pflaster, nasse Gazebinden oder trockene, die mit Traumaticin oder Collodium bestrichen werden, oder durch feine Nähte (Epidermisnaht nach Donders). Blutungen sind meist durch Druck (Einwickelung) zu stillen.

Bei Quetschwunden der Finger Einwickelung mit schmalen Gazebinden, welche in schwache antiseptische Lösung getaucht sind und von Zeit zu Zeit mit derselben Flüssigkeit wieder benetzt werden, besser ein vollständiger antiseptischer Verband.

Bei Fracturen der Finger, Gipsverband (Einwickelung mit schmalen Flanellbinden, darüber schmale Gipsbinden) oder

Fig. 102.

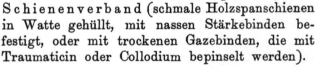

Schienenverband (schmale Holzspanschienen in Watte gehüllt, mit nassen Stärkebinden befestigt, oder mit trockenen Gazebinden, die mit Traumaticin oder Collodium bepinselt werden).

Bei Fracturen einzelner Metacarpalknochen legt man einen Ball (grosse Wattekugel) in die Hohlhand und wickelt die Hand darauf mit Flanellbinden fest (Ballverband). Bei starker Verkürzung nützt ein Extensionsverband mit Heftpflasterstreifen, die durch einen Kautschukring auf einem Handbrett in Spannung gesetzt werden (s. Fig. 278).

Nach Exarticulation eines Fingers kann ein Verband durch eine schmale Kreuzbinde hergestellt werden (Fig. 102).

Kreuzbinde.

Beim· **Bruch des Schlüsselbeines** kann die Verschiebung der Fragmente, wenn auch nicht für die Dauer, beseitigt werden durch den **Verband von Desault.** Derselbe ist zwar aus der Mode gekommen, aber ein vortreffliches Uebungsstück, dessen einzelne Touren bei fast allen Schulterverbänden zur Anwendung kommen.

Die erste Binde (Fig. 103) befestigt in der Achselhöhle des abducirten Armes ein Keilkissen durch Gänge, welche die Brust umkreisen.

Fig. 103. **Fig. 104.**

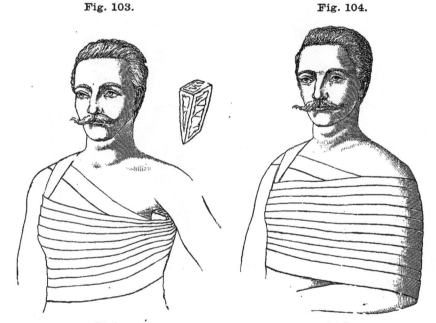

1. Binde. 2. Binde.
Desault's Verband für den Schlüsselbeinbruch.

Nachdem der Arm herabgelassen und gegen das Kissen angedrückt ist, wird er durch die zweite Binde (Fig. 104) gegen den Brustkasten fixirt und zugleich nach rückwärts gedrängt, während die Schulter vom Rumpf über das Kissen hin abgehebelt wird.

Die dritte Binde (Fig. 105) unterstützt den Arm nach Art einer Mitella. Sie verläuft von der Achsel der gesunden Seite zur Schulter der kranken, und kehrt um den Ellbogen derselben zur Achsel zurück. Diese drei Ecken werden immer in derselben Reihenfolge (Achsel-Schulter-Ellbogen) berührt. Das letzte Ende

der Binde wird von der gesuuden Schulter herab um das Handgelenk und zur kranken Schulter heraufgeführt und dort befestigt.

Um die Verschiebung der Bindentouren zu verhüten, legt
man den Verband am besten mit Stärkebinden an, oder nimmt
für die letzte Tour Kleister- oder Gipsbinden.

Fig. 105.   Fig. 106.

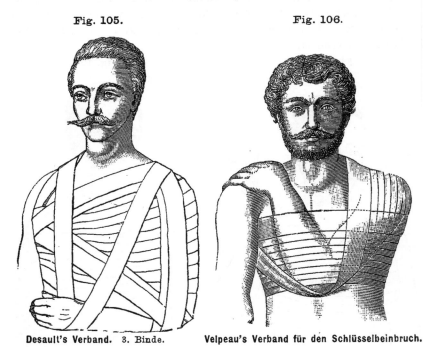

Desault's Verband. 3. Binde.   Velpeau's Verband für den Schlüsselbeinbruch.

Auch der **Verband von Velpeau** (Fig. 106), welcher die Hand
der kranken Seite auf der gesunden Schulter, und den Ellbogen
vor dem Schwertfortsatz befestigt, ist sowohl bei Schlüsselbein-
brüchen als auch bei chronischen Schultergelenksentzündungen
nützlich.   Er besteht aus wagerechten Gängen, welche den Brustkorb und Arm umfassen, und senkrechten, welche von der kranken
Schulter herab um den Ellbogen herum zur gesunden Achsel ver-
laufen.   Der Ellbogen liegt wie in einer Schlinge und wird nach
oben gezogen.   Die abwechselnd gelegten Touren kreuzen sich
vor dem kranken Arm in Form einer Spica.

Ueber den Heftpflasterverband nach S a y r e s. S. 187.

Verbände am Rumpf.

Bei der **Kreuzbinde** für Brust und Rücken (fascia stellata, Stella, Fig. 107) werden die Gänge beiderseits in Achtertouren um die Oberschlüsselbeingegend und unter beide Achselhöhlen derart geführt, dass sie sich in der Mittellinie vor dem Brustbein und vor der Wirbelsäule kreuzen. Zur Befestigung dienen einige um den Rumpf oder beide Schultern gelegte Gänge.

Man kann hiermit auch einen ähnlichen, früher häufigen Verband, die Q u a d r i g a herstellen, welcher schulgemäss mit einer zweiköpfigen Binde angelegt wird (Fig. 108).

Fig. 107.

Fig. 108.

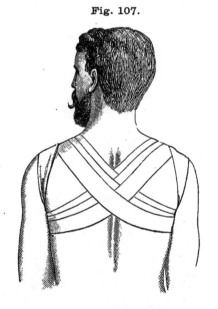

Kreuzbinde (Stella dorsi).

Bindeneinwicklung der Brust (Quadriga).

Die **Einwicklung des Brustkorbes** und des **Bauches** gestaltet sich sehr einfach durch Anwendung einer breiten Binde in Hobelgängen; damit der Verband festsitzt und sich namentlich nicht seitlich verschiebt, ist es zweckmässig, um die Schulter oder Hüfte einige Achtertouren zu legen. Verbände in der B e c k e n g e g e n d, werden meist in den Gängen der Spica coxae (anterior) ausgeführt z. B. nach Operationen bei Brüchen

7

an der Blase, Penis, Scrotum u. s. w.). Für Operationen am After eignet sich am besten eine ⊤ Binde. Ebenso zweckmässig ist übrigens auch der Gebrauch einer sog. Badehose, die sich sehr gut überall anschmiegt und billig zu haben ist.

Der **Druckverband für die weibliche Brust** kann in verschiedener Weise angelegt werden: entweder in mehreren einfachen Schräggängen von der gesunden Schulter unter der kranken Mamma hinziehend, welche sich, dachziegelförmig deckend, oder in der Anordnung einer Testudo, bis zur Achselhöhle der kranken Seite ausbreiten, oder man legt die Touren um die gesunde Achsel herum und lässt sie sich auf der Schulter kreuzen (Fig. 109). Bei der Anordnung der Brusttouren von unten nach oben zu ansteigend wird die Brustdrüse nicht nur gedrückt, sondern auch emporgehoben. (Compressorium et suspensorium mammae.)

Fig. 109.　　　　　　　　　Fig. 110.

Suspensorium mammae.

Suspensorium mammae duplex.

Ein Suspensorium mammae duplex (Fig. 110) lässt sich am besten mit den Gängen der oben beschriebenen Kreuzbinde (Fig. 107) anlegen, der einige Ringtouren um die untere Brustgegend hinzugefügt werden.

Der **doppelseitige Druckverband für die Brust** (C o m p r e s - s o r i u m m a m m a e d u p l e x) wird in Achtergängen ausgeführt, welche sich vor dem Brustbein kreuzen. Man führt die Binde von der Oberseite der einen Brustdrüse zur Unterseite der anderen über den Rücken zur Unterseite der ersteren und zur Oberseite der anderen, von dort über den Rücken wieder zur Oberseite der ersten und so fort in der Weise, dass die Touren sich wie eine Testudo immer mehr einem Mittelpunkte, der Brustwarze nähern. Zur besseren Befestigung führt man die Schlussgänge entweder um die Schultern oder fügt einige Kreisgänge um den Brustkorb hinzu.

Verbände am Beine.

Die Zehen deckt man zusammen mit einer Kreisbinde und verzichtet auf den Verband jeder einzelnen.

Der **Steigbügel** (S t a p e s, Fig. 111) zur Deckung des Fussrückens, besteht aus 2—3 Hobeltouren, die man durch eine über das Fussgelenk hinweggeführte Kreuztour sichert.

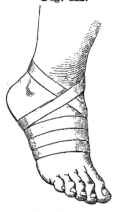

Fig. 111.

Die **Kreuzbinde** (S p i c a p e d i s) wird ebenso wie an der Hand angelegt: an einen Kreisgang über den Knöcheln schliessen sich 3—4 Kreuzgänge über den Fussrücken hin an. Vermehrt man dieselben, so kann man mit einer etwas breiten Binde sehr gut den g a n z e n Fuss verbinden; nur die Ferse wird hierbei mangelhaft gedeckt. Soll auch diese gut geschützt sein, so macht man die **Einwicklung des Fusses** (I n v o l u t i o p e d i s) folgendermassen:

Der Verband beginnt dicht über den Zehen mit einem Kreisgang; es folgen 2—3 Umschläge am Fussrücken und darauf 3 Kreuzgänge um Fussrücken und Knöchel. Dicht vor dem Fuss-

Steigbügel.

gelenk angelangt läuft nun die Binde von der Fusssohle rechts (des Kranken) um den Calcaneus über die Achillessehne, vorn von links nach rechts wieder über die Achillessehne links um den Calcaneus nach der Fusssohle, nach vorne über das Fussgelenk, hinten um die Hacke und dann herauf über den rechten Knöchel nach dem Unterschenkel.

Die **Testudo genu** ist oben S. 86 beschrieben.

7*

Die **Kreuzbinde für die Hüfte** (Spica coxae, Fig. 112) gleicht im wesentlichen der Spica humeri. Auf einen Kreisgang um das obere Drittel des Oberschenkels folgen 3—4 Kreuzgänge, welche das Becken umfassen. Die Kreuzungen können auf die vordere,

Fig. 112.

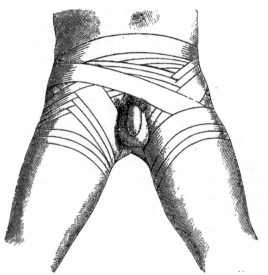

ascendens   descendens

Spica coxae duplex anterior.

seitliche oder hintere Hüftgegend gelegt werden. Auf beiden Seiten angelegt ist dieser Verband (Spica coxae duplex) am geeignetsten zur Einhüllung des Beckens. Fig. 112 zeigt eine doppelseitige Spica coxae anterior ascendens (am rechten Bein) und descendens (am linken Bein).

Fig. 113.

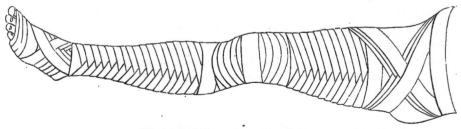

Bindeneinwicklung des ganzen Beines.

Die **Einwicklung des ganzen Beines** (Involutio Thedenii, Fig. 113) beginnt mit der oben beschriebenen Einhüllung des Fusses. Darauf folgt die Einwickelung des Unterschenkels durch eine breitere aufsteigende Hobelbinde mit Umschlägen, des Knies durch eine Kreuzbinde (testudo), des Oberschenkels durch eine aufsteigende Hobelbinde mit Umschlägen, und der Hüftgelenksgegend durch eine Kreuzbinde (spica coxae), welche mit einigen Kreisgängen um die Unterbauchgegend schliesst.

Von den hier beschriebenen Verbänden sind manche veraltet und werden in der Praxis wenig oder gar nicht angewendet. Dieselben sind aber alle sehr wohl zu **Uebungszwecken** zu gebrauchen, und, wenn auch das Anlegen einer nassen Gazebinde leichter ist, als das einer steifen leinenen, so ist doch zum exacten antiseptischen Verbande ein vollständiges Beherrschen der Verbandtechnik nothwendig.

Die Tücherverbände.

Mittelst eines leinenen, oder baumwollenen (Shirting, Stouts) Tuches von dreieckiger (Halstuch) oder viereckiger Form (Schnupftuch, Serviette) lassen sich die meisten Verbände ebenso gut als mit Binden anlegen, manche sogar besser. Da zur Anlegung der Tücher nur wenig Uebung gehört und die Gefahr der Einschnürung und Stauung selbst bei mangelhaft ausgeführtem Verbande geringer ist, als bei der Bindeneinwicklung, so eignen sich die Tücherverbände ganz besonders als Nothverband, namentlich für Laien, welche die erste Hülfe bringen (Samariter). Aber auch als Wundverband sind sie gut zu verwerthen, z. B. zum Einhüllen von Amputationsstümpfen, zum Befestigen von kleinen Verbandstücken, Umschlägen, Schienen u. dergl. — Die Tuchverbände wurden schon vor 60 Jahren von Gerdy und Mayor auf das dringendste empfohlen, geriethen aber in Vergessenheit und sind erst wieder zu allgemeiner Anwendung gelangt durch die Einführung meines **dreieckigen Tuches** (Fig. 114), welches mit Figuren bedruckt ist, an denen die verschiedenen Verbände dargestellt sind. Hierdurch erhält der Geübtere eine schnelle Uebersicht des schon Gelernten, der ganz Ungeübte aber eine gute Anleitung für sein Handeln, was besonders für den Soldaten im Felde von grossem Vortheile ist.

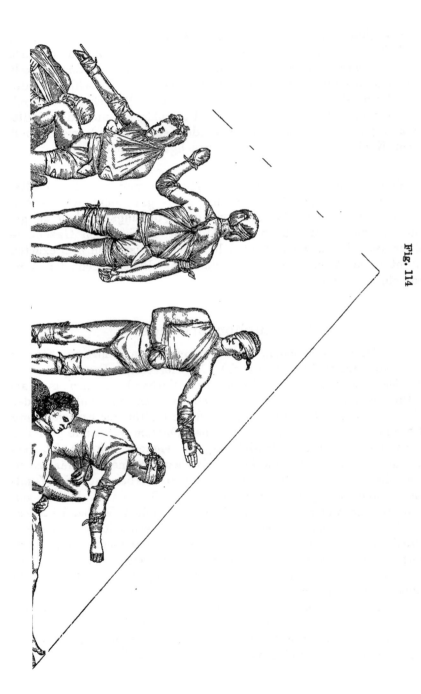

Fig. 114

Man unterscheidet vier eckige, grosse und kleine dreieckige Tücher. Die ersteren müssen aus quadratischen Stücken
bestehen, deren Seiten 90—130 cm lang sind. Die letzteren
(grosse Dreiecke) erhält man durch schräge (diagonale) Halbirung
und kann sie durch einen Schnitt von der Spitze zur Mitte der
Basis wiederum in zwei Hälften theilen (kleine Dreiecke). Ein
dreieckiges Tuch hat eine Spitze, zwei Zipfel, zwei Schmal-
seiten, eine Langseite.

Zur Befestigung der Endzipfel mit einander bedient man sich
des Schifferknotens (Fig. 115), welcher viel sicherer hält, als der
Weiberknoten (Fig. 116), oder man steckt die Zipfel durch Nadeln
(Sicherheitsnadeln) fest.

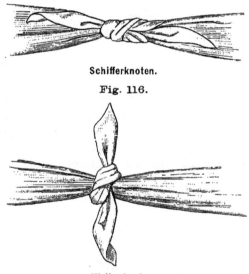

Fig. 115.

Schifferknoten.

Fig. 116.

Weiberknoten.

Wie aus den dem
Tuche aufgedruckten Ab-
bildungen ersichtlich, lassen
sich die Tücher für ver-
schiedene Zwecke in ver-
schiedener Form und Grösse
anwenden, bald als **Tuch-
binde,** von der Spitze nach
der Basis zusammengefaltet
zu einer langen und
schmalen Cravatte, bald
als offenes **Dreieck** mit
mannichfaltiger Verwen-
dung der einzelnen Zipfel
durch Einschlagen, Um-
schlagen, Zusammenknoten
oder Zusammenheften mit
Nadeln.

An den einzelnen Körpertheilen kommen die Tücher in
folgender Weise zur Anwendung:

Für Verbände am Kopfe dienen:

Das **dreieckige Kopftuch** (capitium triangulare) (Fig. 117,
118). Man legt die Mitte des dreieckigen Tuches auf den
Scheitel, so dass die Langseite quer vor der Stirn, die Spitze
über den Nacken herabhängt. Dann führt man die beiden Endzipfel über beide Ohren hinweg nach hinten, lässt sie auf dem Hinterhaupt über dem herabhängenden Zipfel sich kreuzen, führt sie

— 104 —

wieder nach vorne und knotet sie auf der Stirne zusammen. Endlich wird die hinten herabhängende Spitze straff nach unten angezogen, über das Hinterhaupt hinaufgeschlagen und auf dem Scheitel mit einer Sicherheitsnadel befestigt.

Fig. 117.

von vorne

Fig. 118.

von hinten

Dreieckiges Kopftuch.

Die **Kopfschleuder** (Fig. 119 und 120), ein viereckiges Tuch, 60 cm lang, 20 cm breit, von beiden schmalen Seiten her eingeschlitzt, wie eine gespaltene Compresse (Schleuderbinde). Will man damit einen Verband auf der Scheitelgegend befestigen, so werden die beiden hinteren Zipfel unter dem Kinn, die beiden

Fig. 119.

Kopfschleuder für die Scheitelgegend.

Fig. 120.

Kopfschleuder für das Hinterhaupt.

vorderen im Nacken zusammengeknotet (Fig. 119). Ist der Verband aber auf dem Hinterhaupt festzuhalten, so knotet man die vorderen Zipfel unter dem Kinn und die hinteren Zipfel auf der Stirn zusammen (Fig. 120). In ähnlicher Weise stellt man eine Kopfschleuder für die Stirngegend her.

Das **grosse viereckige Kopftuch** (capitium magnum quadran-
gulare, Fig. 121 u. 122) bedeckt ausser dem Schädel auch die
ganze Ohren-, Nacken- und Halsgegend wie eine Kapuze, und ist
deshalb bei schlechter und kalter Witterung ein sehr praktischer
Schutzverband.

Fig. 121.   Fig. 122.

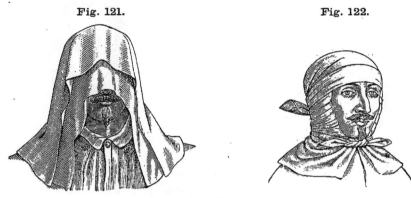

Grosses viereckiges Kopftuch.

Man legt ein etwa einen Quadratmeter grosses Tuch (Serviette)
im graden Durchmesser so zusammen, dass der lange Rand der
oberen Hälfte hinter dem langen Rand der unteren Hälfte hand-
breit zurücksteht. Dadurch entsteht ein Rechteck, welches man
so auf den Kopf des Kranken legt, dass die Mittellinie des Tuches
die Pfeilnaht deckt, der freie Rand der unteren Platte bis zur
Nasenspitze, der Rand der oberen Platte bis zur Augenbrauengegend
herabhängt, während die schmalen Ränder sich auf beide Schultern
legen. Von den vier Zipfeln, welche vorne auf der Brust herab-
hängen, werden nun zuerst die beiden äusseren unterm Kinn fest
zusammen gebunden, dann der vor den Augen herabhängende
Rand der unteren Platte gegen die Stirn hinauf geschlagen und
die dazu gehörigen inneren Zipfel nach rückwärts über die Ohren
zurückgezogen und im Nacken zusammengeknotet.

Mit dem cravattenförmig zusammengelegten dreieckigen Tuche
lässt sich sehr einfach eine **Stirnbinde, Wangenbinde** und **Augenbinde** (Fig. 123) herstellen.

Mit zwei solchen Tüchern lässt sich auch eine **Kinnschleuder**
(Fig. 124) nachahmen, indem man die Mitte des einen Tuches auf

die Vorderfläche des Kinns legt und die Enden im Nacken zu-
sammenknüpft, während das andere von der unteren Fläche des
Kinns zum Scheitel hinaufgeführt wird.

Fig. 123.

Augenbund.

Fig. 124.

Kinnschleudertuch.

Zum Befestigen des Verbandes a m H a l s e dient:

Das **Halstuch** (Fig. 125), ein nach Art der Cravatte zu-
sammengelegtes dreieckiges Tuch. Durch Einlegen eines S t ü c k e s
s t e i f e r P a p p e, Leder u. dergl. wird der Verband noch sicherer
und zugleich kann man hierdurch den Kopf nach der verletzten
Seite hin beugen (Querwunden), wenn man durch eine genügend
hohe Einlage den Kieferrand der gesunden Seite hebt (Fig. 126).

Fig. 125.

Halstuch.

Fig. 126.

Halstuch mit eingelegter Pappe.

Zu V e r b ä n d e n a m A r m benutzt man:

Die **Kreuzbinde der Hand** (vinculum carpi, Fig. 127), ein
zusammengefaltetes Tuch, welches im Achtergang um die Mittelhand gelegt wird. Die Kreuzung kommt über der Stelle der
Verletzung zu liegen.

Das **Handtuch** (Einhüllung der ganzen Hand, Fausthand-
schuh, Fig. 128). Auf die Mitte der Langseite des entfalteten
Tuches wird die flache Hand
so aufgelegt, dass die Hand-
wurzel dem Rande auf-
liegt und die Finger nach
der Spitze gerichtet sind;
diese wird über den Hand-
rücken zurückgeschlagen,
die seitlichen Zipfel über

Fig. 128.

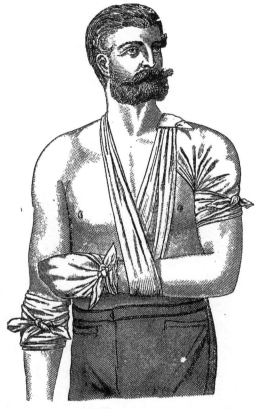

Fig. 127.

Kreuzbinde der Hand.

Schultertuch, Händetuch, Ellbogentuch und kleines
Tragetuch

dem Handgelenk geknotet und die Spitze zur Deckung des Knotens
benutzt. (Ebenso lassen sich Amputationsstümpfe bedecken, Fig. 129.)

Das **Ellbogentuch** wird zusammengelegt verwendet und umhüllt in Kreis- und Achtergängen die Gelenkgegend.

Das **Schultertuch** legt man an: entweder zusammengelegt
im Kreuzgang um die Schulter und die Enden in der gesunden
Achselhöhle geknotet, oder entfaltet, die Spitze auf der Schulter,
die Zipfel in der anderen Achselhöhle geknotet. Hierbei wird zugleich der Oberarm bedeckt und ruhig gestellt. (Sehr gut nach
Exarticulation des Schultergelenks zu verwenden, Fig. 130.) Zweck-

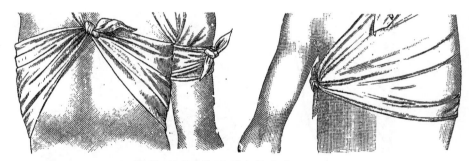

Kopftuch, Brusttuch, Schultertuch.

Am häufigsten werden die Tücher verwendet für

Das **Armtragetuch** (Mitella). Eine Schlinge aus dem zusammengelegten Tuch giebt die mitella parva (Fig. 128). Gewöhnlich aber gebraucht man es entfaltet (Mitella triangularis): Man erfasst das Tuch an der Spitze und einem Zipfel, führt diesen über die gesunde Schulter, jene hinter den Ellbogen des kranken Arms, legt den Arm wagerecht auf das Tuch, schlägt den herabhängenden Zipfel aufwärts zur kranken Schulter und knotet ihn im Nacken mit dem andern Zipfel. Die Spitze wird zuletzt hinter dem Ellenbogen hervorgezogen und vor dem Oberarm mit einer Nadel befestigt (Fig. 131). Wenn die Schulter der kranken Seite keinen Druck verträgt, kann man die Endzipfel auch beide

Fig. 131.   Fig. 132.

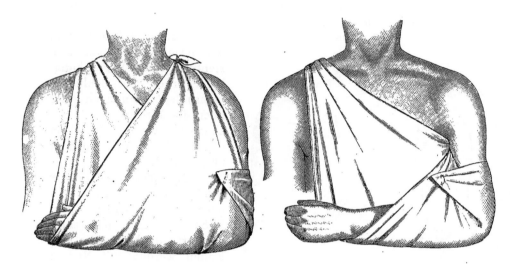

Fig. 133.   Fig. 134.

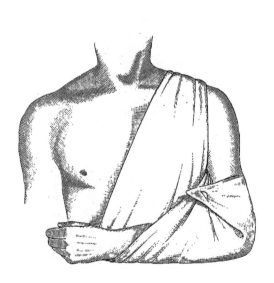

Die Formen der Mitella.

über die gesunde Schulter führen (Fig. 132). Soll hingegen der gesunde Arm ganz frei bleiben, so knotet man beide Zipfel über der kranken Schulter (Fig. 133).

Fig. 135.

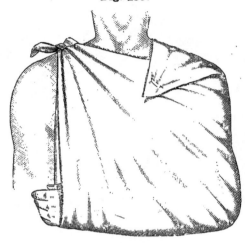

Viereckiges Armtragetuch.

Zur sicheren Feststellung des Arms (z. B. nach Einrichtung einer Verrenkung, beim Bruch des Schlüsselbeins) legt man noch quer über die Mitella eine breite Cravatte, welche den Arm gegen die Brust drückt (Fig. 134).

Das **grosse viereckige Armtragetuch** (Mitella quadrangularis, Fig. 135) legt man mit einer Serviette u. dergl. an: Die Enden werden mit Nadeln befestigt, da die Knoten, namentlich im Nacken, leicht drücken.

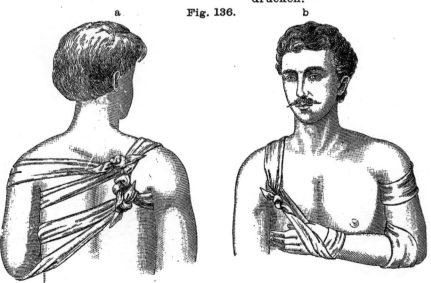

a Fig. 136. b

Von hinten. Von vorne.
Tücherverband für den Schlüsselbeinbruch nach Szymanowsky.

Der **Tuchverband für den Schlüsselbeinbruch** nach Szymanowsky wird mit drei Tüchern angelegt und zieht die verletzte
Schulter nach hinten und oben (Fig. 136).

Verbände am Rumpf lassen sich mit mehreren Tüchern in
verschiedener Weise leicht herstellen, so der **Brustgürtel** (Cingulum
pectoris Fig. 139), der **Schürzenverband** nach Roser (Fig. 137).

Fig. 137.

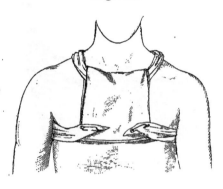

Schürzenverband für die Brust nach Roser.

Fig. 138.

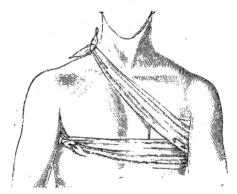

Tücherverband für die seitliche Brustgegend.

Fig 139.

Brustgürtel.

Fig. 140.

Grosses Brusttuch von vorne.
Dasselbe von hinten s. Fig. 129.

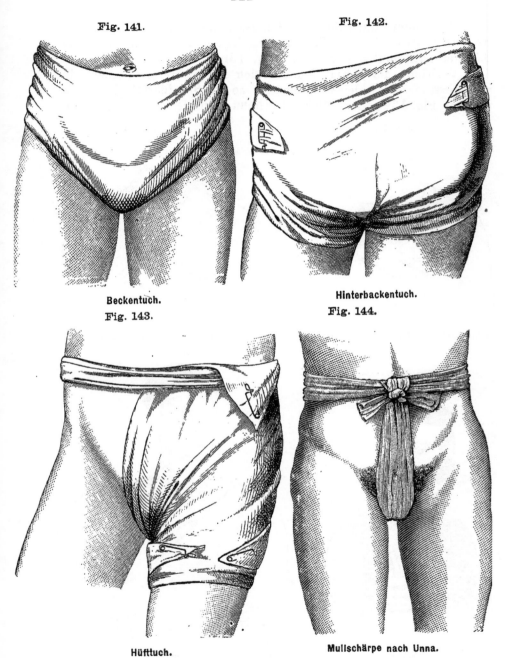

Fig. 141.

Beckentuch.

Fig. 142.

Hinterbackentuch.

Fig. 143.

Hüfttuch.

Fig. 144.

Mullschärpe nach Unna.

Zur Einhüllung der ganzen **Brust** legt man

Das **Brusttuch** so an, dass die Spitze über die Schulter, die Zipfel beiderseits um den Brustkorb zum Rücken geführt werden, wo dann alle drei Ecken mit einander verknotet werden (Fig. 129, 140). Umgekehrt angelegt entsteht das **Rückentuch.**

In ähnlicher Weise knüpft man zur Einhüllung der Beckengegend

Das **Beckentuch** (Fig. 141). Die Spitze des Tuches wird von vorn her über den Damm geführt, die Zipfel um die Hüften geknotet und die Spitze an ihnen befestigt (improvisirte Badehose).

Das **Hinterbackentuch** ist umgekehrt (Fig. 142).

Die **Mullschärpe** nach Unna (Fig. 144), besteht aus zwei Streifen, von denen der eine die Hüften umgiebt, während der an ihm befestigte andere den Penis und Hodensack wie in einem Beutel trägt (Suspensorium).

Fig. 145.   Fig. 146.

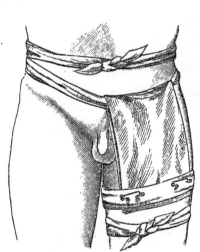

Knietuch.
Fig. 147.

Schürzenverband für die Leistengegend
nach Roser.

Fusstuch.

Für Verbände am **Bein** dienen

das **Hüfttuch** (Fig. 143), mit einem entfalteten und einem zusammengelegten Tuche, ebenso wie das Schultertuch angelegt, und der **Schürzenverband** nach Roser (Fig. 145).

Das **Knietuch** (Fig. 146) wird zusammengelegt als Achtertour um die Gelenkgegend geführt.

Der mit drei Tüchern hergestellte **Verband für die gebrochene
Kniescheibe** nach Mayor (Fig. 148, 149) ist nicht sonderlich
wirksam, aber sehr gut als Uebungsstück.

Das **Fusstuch** (Fig. 147) wird ebenso, wie oben das Handtuch
angelegt, indem die Spitze über den Fussrücken herübergeschlagen
wird und die Zipfel sich kreuzend über Fussrücken und Fussgelenk geführt werden.

Fig. 148.

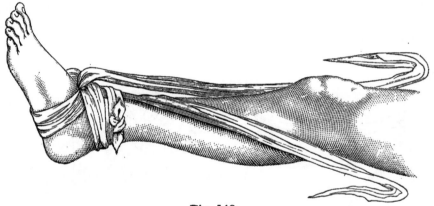

Fig. 149.

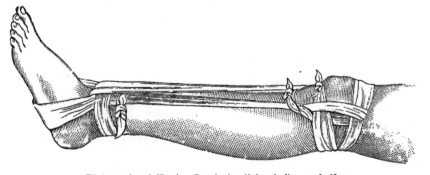

Tücherverband für den Bruch der Kniescheibe nach Mayor.

Die Schienenverbände.

Schienen gebraucht man, um verletzte Glieder ruhig und sicher zu lagern, namentlich wenn ihre Knochen und deren Gelenke erkrankt oder verletzt sind. Die dem Gliede fehlende Festigkeit wird dann durch die Schiene ersetzt, bis die Erkrankung gehoben ist.

Von der grossen Zahl der früheren Schienen für die verschiedensten Zwecke gebraucht man jetzt nur noch verhältnissmässig wenige. Die gebräuchlichsten sind folgende:

1. Holz-Schienen.

Einfache Brettchen, welche gut gepolstert an das zuvor mit Binden umwickelte Glied durch Tücher oder Binden befestigt werden. Fig. 150 zeigt einen solchen Verband für den gebrochenen Oberarm. Versieht man solche Brettchen an einem Ende mit Blechhülsen (von Esmarch), so kann man sich durch Zusammenstecken beliebig lange Schienen, z. B. für das ganze Bein, herstellen. Diese **zerlegbaren Holzschienen** sind sehr leicht und auf geringem Raum zu verpacken; sie eignen sich namentlich als Extensionsschienen während des Transports (s. u.).

Fig. 150.

Die **biegsamen Spaltschienen** nach Gooch bestehen aus dünnen (6 mm) Fichtenbrettern, welche durch seichte, nicht ganz durchdringende Einschnitte in 1 cm breite parallele Streifen geschnitten und auf Leder oder Leinewand geklebt werden. Sie sind in der Quere vollkommen biegsam, in der Länge vollkommen fest (Fig. 152). Unter die auf-

Schienenverband für Fracturen des Oberarms.

genagelten Lederstreifen werden Riemen mit Schnallen hindurchgezogen, welche zur Befestigung dienen.

8*

Fig. 151.

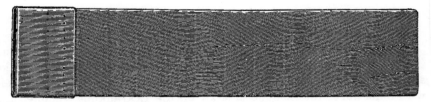

Holzschiene mit Blechhülse.

Fig. 152.

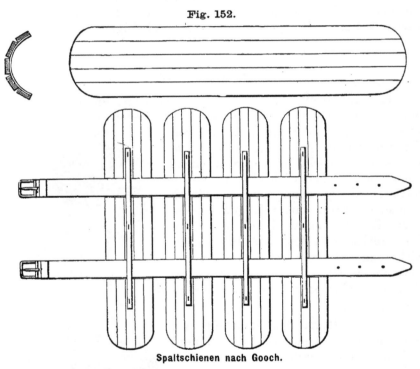

Spaltschienen nach Gooch.

Die **Tuchschienen** nach S c h n y d e r bestehen aus 2—2,5 cm breiten, 3 mm dicken Spähnen aus biegsamem Nussbaumholz (Fournieren), welche dicht neben einander liegend, zwischen zwei Stücke Leinewand oder Baumwollentuch eingenäht sind (Fig. 153).

Aehnlich ist der **schneidbare Schienenstoff** nach v o n E s m a r c h (Fig. 154). Dieser besteht aus zwei Lagen Zeugstoff (Stouts, Shirting, Leinwand), zwischen denen Tapetenspanstreifen in Abständen von je 5 mm neben einander gelegt und mit Wasserglas, Kleister oder

Leim fest verklebt sind. Dieser Schienenstoff ist sehr leicht, schnell und billig herzustellen, lässt sich mit der Scheere schneiden und aufgerollt in grösseren Mengen auf geringen Raum verpacken; er leistet als Nothverband für den Transport recht gute Dienste.

Fig. 153.

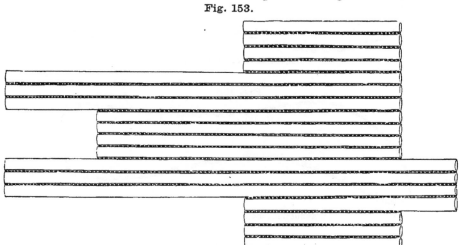

Tuchschienen nach Schnyder für die untere Extremität.

Fig. 154.

Schneidbarer Schienenstoff nach von Esmarch.

Sehr viel gebraucht für Verletzungen und Erkrankungen des Arms sind die **gepolsterten Bretter** nach Stromeyer; sie bestehen aus leichtem Holz, sind mit Watte gepolstert und mit

Fig. 155.

Handschiene nach Stromeyer.

Fig. 156.

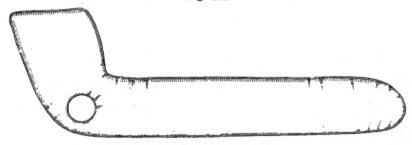

Abductionsschiene nach Stromeyer.

Fig. 157.

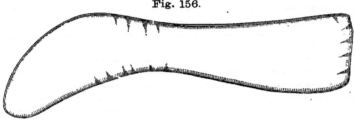

Rechtwinklige Armschiene nach Stromeyer.

Fig. 158.

Stumpfwinklige Armschiene nach Stromeyer.

Leinwand oder wasserdichtem Stoff überzogen: Das einfache **Handbrett** (Fig. 155) zur Ruhigstellung der Hand und der Finger ist
nicht nur bei Fracturen, sondern namentlich bei schweren Pana-
ritien, Phlegmonen etc. in allgemeiner Anwendung; die **Abductionsschiene** (Pistolenschiene nach Nélaton Fig. 156) dient für Fracturen
am unteren Ende des Radius. Zuerst wird die Hand auf den
vorderen Theil der Schiene festgewickelt, dann die Schiene so
gedreht, dass sie dem Unterarm anliegt und an ihm befestigt.
Die Abductionsstellung der Hand zieht die über einander reitenden
Bruchenden von einander ab. Die **Vorderarmschiene** (Fig. 157)
dient für Brüche des Vorderarms bei rechtwinkliger Beugung im
Ellbogengelenk, von einer Mitella unterstützt; die **stumpfwinklige
Armschiene** (Fig. 158) ist brauchbar bei Quetschungen, Ver-
stauchungen, Entzündungen des Ellbogens, wo man Eisbeutel anwenden will und die Kranken das Bett hüten.

Die **Dorsalschiene** nach Röser für den Bruch des unteren
Radiusendes wird auf der Streckseite des Arms angelegt; der
Handrücken wird durch geeignete Polsterung volarwärts gebeugt,
die Finger bleiben frei (Fig. 159).

Fig. 159.

Dorsalschiene nach **Roser** für **Bruch des unteren Endes des Radius.**

Die **Radiusschiene**
nach Carr hat eine Aus-
höhlung für das Hand-
gelenk, während die frei-
bleibenden Finger den
Querstab umfassen (Fig.
160).

Fig. 160.

Radiusschiene nach Carr.

Die **Radiusschienen** nach Clover (Fig. 161) sind mit einer
Höhlung für das Handgelenk und einem winklig abgebogenen
Handtheil versehen.

Fig. 161.

Radiusschienen nach Clover.

Fig. 162.

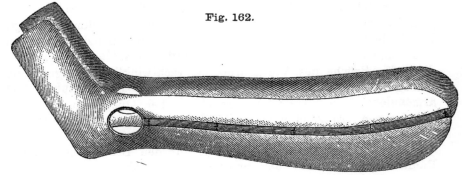

Hohlschienen für den Unterschenkel nach Bell.

Fig. 163.

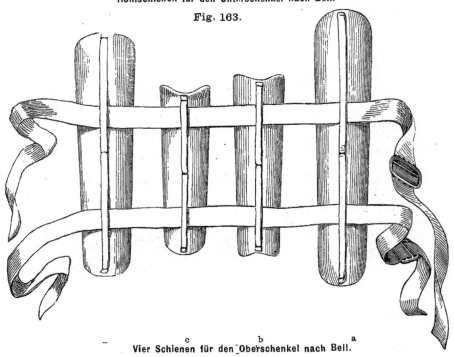

c   b   a
Vier Schienen für den Oberschenkel nach Bell.

Sehr zierlich geschnitzt und dem Umfang des Gliedes angepasst sind die **englischen geformten Hohlschienen** (Bell, Pott,
Cline); an ihrer Aussenfläche sind Lederstreifen angeheftet, unter
denen mit ·Schnallen versehene Gurte durchgezogen werden, die
zum Festschnallen der Schienen am Gliede dienen. Die hohle
Innenfläche muss natürlich etwas gepolstert werden. Fig. 162
zeigt zwei S c h i e n e n f ü r d e n U n t e r s c h e n k e l nach B e l l,
Fig. 163 vier Schienen für den O b e r s c h e n k e l; diese werden
so angelegt, dass a, b, c, d an der Vorder-, Innen-, Rück- und
Aussenseite des Gliedes zu liegen kommen.

Die **Supinationsschiene** nach v. V o l k m a n n (Fig. 164), welche
sich für alle Verletzungen des Vorderarmes eignet, ist eine hölzerne
Armschiene, an welcher der Handtheil rechtwinklig zu ihrer Fläche
befestigt ist, so dass die Hand halb in Supination steht.

Fig. 164.

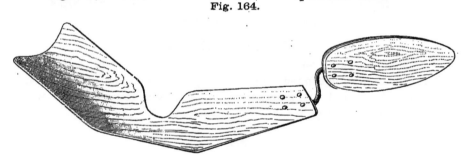

Supinationsschiene nach von Volkmann.

Die **Knieschiene** nach v. V o l k m a n n ist eine kurze Schiene,
der Bell'schen Fig. 161 c ähnlich; sie wird in der Kniekehle befestigt, um das Kniegelenk nach Ergüssen in dasselbe an Bewegungen
zu hindern, und den Druck der Bindeneinwicklung auf die Gefässe
in der Kniekehle zu verhüten.

Fig. 165.

Schiene für Resection des Kniegelenks nach Watson.

Die **Schiene für Resection des Kniegelenks** nach W a t s o n -
V o g t (Fig. 165, 166) eignet sich nur für die Fälle, in denen ein
häufigerer Verbandwechsel nothwendig ist. Sie wird mit Stärke-

oder Gipsbinden angelegt. Bei normalem Wundverlauf ist sie durch die Beinschiene nach von Volkmann (Fig. 167) zu ersetzen.

Fig. 166.

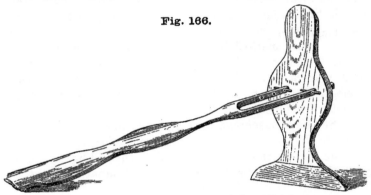

Schiene nach Watson, umgeändert von Voigt.

2. Blechschienen.

Schienen aus **verzinntem Eisenblech** sind schon seit langer Zeit als Lagerungsrinnen in Gebrauch, hauptsächlich für das Bein; für den Arm sind die leichteren Schienenarten besser, zumal wenn der Kranke umhergehen kann.

Fig. 167.

Blechschiene nach v. Volkmann für das Bein.

Der **Stiefel** nach Petit, eine geformte flache Hohlschiene mit Fussplatte und einem Loch für die Hacke wurde von v. Volkmann verbessert, vereinfacht und mit einer Tförmigen verstellbaren eisernen Fussstütze versehen, um das seitliche Umkippen des Fusses zu verhüten. Diese **T Schiene** nach v. Volkmann ist jetzt ganz allgemein im Gebrauch bei allen grösseren Verwundungen am Beine, sie ersetzt namentlich die zahlreichen Schwebeschienen und Resectionsschienen, da der Verband in aseptisch verlaufenden Fällen meist wochenlang bis zur Heilung liegen bleiben kann.

Im Dänischen Heere sind von Salomon platte Schienen von dünnem **Weissblech** eingeführt, welche je 35 cm lang und 10 cm breit, an einem Ende mit zwei kleinen dreigetheilten Fortsätzen und an dem anderen mit zwei Spalten versehen sind, in welche jene Fortsätze gesteckt und durch Umbiegen festgemacht werden können, so dass sich auf diese Weise leicht und schnell Schienen von beliebiger Länge herstellen lassen (Fig. 168).

Fig. 168.

Blechschiene nach Salomon.

Fig. 169.

Fig. 170.

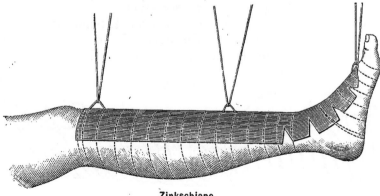

Zinkschiene.

Auch aus **Zinkblech** lassen sich mit einer starken Scheere
Schienen für den augenblicklichen Bedarf zurechtschneiden, die
mit den Händen gebogen und der Form des Gliedes angepasst
werden (Fig. 169, 170). Die Modelle hierzu wurden von v o n
H o e t e r, S c h o e n, P o r t und Anderen angegeben.

Hierher gehören auch die biegsamen, durchlöcherten nickel-
plattirten M e t a l l s c h i e n e n nach L e e, welche sich jeder Biegung
der Körperoberfläche gut anpassen und dabei leicht, dauerhaft
und billig sind. Noch leichter würden Schienen aus **Aluminium-
blech** sein, die bei dem so schnell billig gewordenen Metall wohl
bald allgemeiner gebraucht werden dürften.

Die Blechschienen eignen sich wegen der Leichtigkeit ihrer
Herstellung und Verpackung neben ihrer grossen Reinlichkeit
hauptsächlich für Kriegszwecke, sind aber auch in Friedenszeiten
wegen ihrer Zweckmässigkeit sehr beliebt, doch werden sie hierin
noch übertroffen durch die

3. Drahtschienen.

Diese zeichnen sich durch grosse Leichtigkeit und Reinlichkeit
aus, lassen jede Verunreinigung des Verbandes ohne weiteres erkennen, verhindern nicht die Verdunstung der Secrete und auch
die Binden verschieben sich nicht so leicht, als auf dem glatten Blech.

Fig. 171.

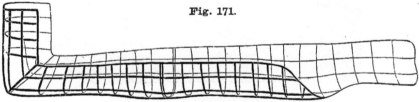

Drahtschiene für das Bein nach Roser.

R o s e r hat verschiedene Schienen aus **Eisendraht** angegeben,
Fig. 171 zeigt eine solche für das Bein. Neuerdings sind andere
Modelle aus **verzinntem Draht** mehr in Gebrauch, z. B. Fig. 172.

Fig. 172.

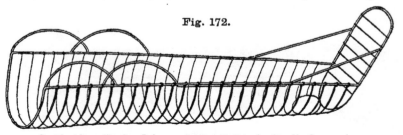

Drahtschiene für das Bein, zugleich mit Bügeln für die Suspension.

Ganz vorzüglich und zu allen Zwecken anwendbar ist die **biegsame Drahtschiene** nach Cramer (Fig. 173). Sie besteht aus starken verzinnten Grenz-

Fig. 173.

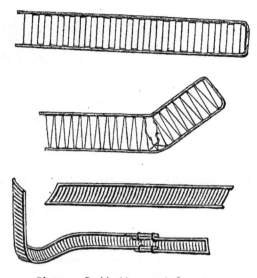

drähten, zwischen denen feinere Drähte wie Leitersprossen ausgespannt sind. Die einzelnen Stücke lassen sich vor und über einander binden, sie lassen sich in der Fläche und Kante biegen, an gewünschten Stellen können durch Herausbrechen der dünneren Stäbe Löcher hergestellt werden, oder dünnere Stellen durch Zusammenbiegen, kurz, es giebt keine Schiene, die man nicht mit der Cramerschen schnell nachbilden könnte. Daneben ist sie leicht, sauber und elegant.

Biegsame Drahtschiene nach Cramer.

Fig. 174.

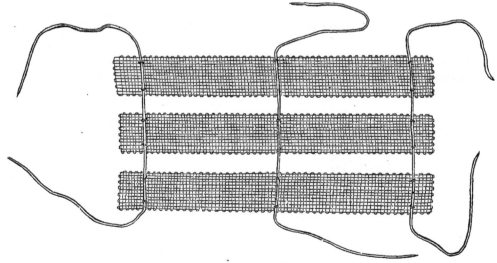

Drahtsiebschienen, durch Stricke mit einander verbunden.

Fast ebenso brauchbar sind die Schienen aus **Drahtsiebstoff**
(v. Esmarch Fig. 174, 175), die leicht, billig und biegsam sind.

Fig. 175.

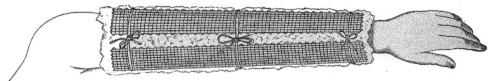

Drahtsiebschienen, angelegt.

Die **Schienen aus Telegraphendraht** (Porter) werden in
Zukunft wohl nicht so häufig benutzt werden können, weil die
Leitungen nunmehr mit gegossenen Bronzedrähten versehen werden,
welche sich nicht so gut biegen lassen. Mit Telegraphendraht
kann man die gebräuchlichsten Holz- und Blechschienen sehr gut

Fig. 176.

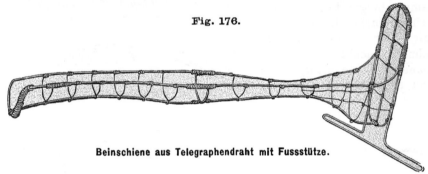

Beinschiene aus Telegraphendraht mit Fussstütze.

nachahmen, doch ist die Anfertigung derartiger Schienen immerhin
mühsam und erfordert Zeit und namentlich Uebung. Fig. 176,
177 zeigen einige häufig gebrauchte Schienen, die sich aber durch

Fig. 177.

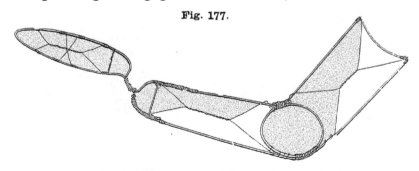

Armschiene aus Telegraphendraht.

die oben beschriebenen Drahtschienen leichter und billiger ersetzen lassen.

4. Glasschienen.

Die von Neuber angegebenen Arm- und Beinschienen aus dickem gegossenem Glas sind zwar sehr reinlich, gewissermassen aseptisch und lassen den kleinsten Schmutzfleck oder durchtretendes Sekret sofort erkennen, haben aber den Nachtheil, dass sie schwer, sehr theuer und zerbrechlich sind. In grossen und reichen Hospitälern mögen sie von Vortheil sein. Fig. 178, 179 zeigen eine Arm- und Beinglasschiene.

Fig. 178.

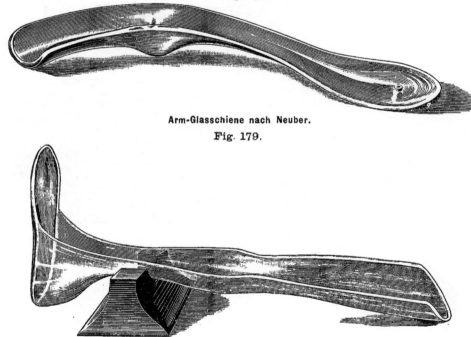

Arm-Glasschiene nach Neuber.

Fig. 179.

Bein-Glasschiene nach Neuber.

5. Pappe-Schienen.

Aus **dicker grauer Pappe** lassen sich mit einem scharfen Messer leicht Schienen von jeder beliebigen Form schneiden; die geraden Kanten, in welchen die Schiene zur Rinne gebogen werden soll, müssen von aussen mit dem Messer genügend tief

Fig. 180.

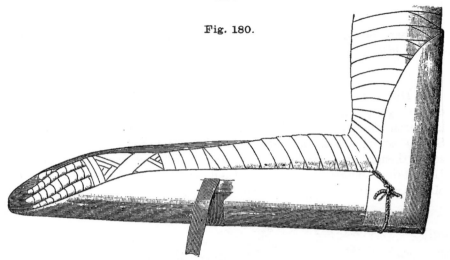

Papplade für den Arm.

Fig. 181.

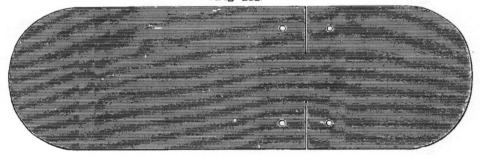

Pappmodell zur Armlade.

Fig. 182.

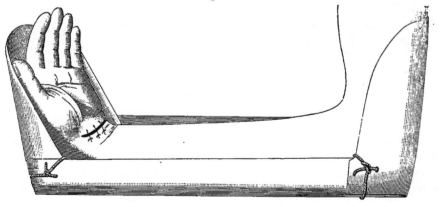

Papplade für Verletzungen an der Volarseite des Handgelenkes.

eingeritzt werden, damit die Kante sich gleichmässig umlegt. Ist die Pappe stark genug, so sind auch die Schienen von genügender Widerstandsfähigkeit; man kann diese aber noch dadurch erhöhen, dass · man die Pappe mit Leim, Wasserglas oder Leinölfirniss bestreicht oder dünne Latten auf die Schienen festnagelt.

Die Pappe wird vorzugsweise für Verbände am Arm gebraucht.

Fig. 180 zeigt eine **Papplade für den Arm,** welche für alle Verletzungen am Ellbogengelenk, Vorderarm, Handgelenk sehr zweckmässig ist; sie lässt sich nach dem Modell Fig. 181 leicht und schnell herstellen, entweder als halbrunde oder kantige Röhre. Bei Wunden an der Volarseite der Hand mit Verletzung der Sehnen und Nerven (nach gelungener Vernähung ihrer Enden) wird am Handende der Lade ein kappenartiger Fortsatz in die Höhe gebogen, welcher die Hand in Supination volarwärts gebeugt hält (Fig. 182).

Bei Fracturen des Ober-arms, namentlich an seinem oberen Ende, macht man an dem einen Ende einer breiten Pappschiene vier Längs-schnitte in gleichen Abständen, biegt die dadurch entstandenen fünf schmalen Fortsätze über der Schulter zu einer **Kappe** zusammen und befestigt das Ganze mit einer Spica humeri (Fig. 183).

Bei Brüchen des unteren Humerusendes genügt die Papplade (Fig. 180).

Die **Flügelschiene** nach von Dumreicher (Fig. 184, 185) ist ein ausgezeich-neter Verband für Fracturen beider Vorderarmknochen, da in ihr der Vorderarm in halber Pronation und im Ellbogen gebeugt ist, wodurch eine möglichst gerade Verheilung der beiden verletzten Knochen erzielt wird. Je eine einfach rechteckige Pappschiene wird der Volar- und Dorsalseite des

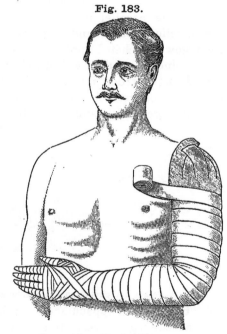

Fig. 183.

Pappschiene für den Oberarm.

halb supinirten Vorderarms fest angedrückt und zu ihrer Befestigung eine schmale, mit viereckigen Flügelfortsätzen versehene Schiene an die ulnare Seite gelegt. Das Ganze wird mit Binden befestigt. Durch den Druck der Seitenschienen auf die Muskeln

Fig. 184.   Fig. 185.

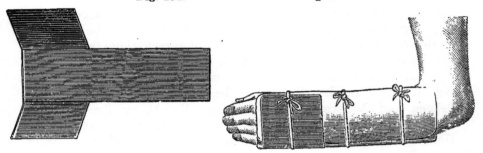

Flügelschiene nach v. Dumreicher.

werden die parallel neben einander verlaufenden Knochen an den Bruchstellen von einander gedrängt. Ohne sie würden (z. B. auf einer gewöhnlichen Papplade in voller Pronation) die Knochenenden durch eine circuläre Einwicklung in die Achse des Gliedes hineingedrängt werden und entweder X förmig oder gar völlig gekreuzt mit einander verheilen (Fig. 186). Dieses Verhalten ist auch bei dem Anlegen aller anderen Schienen am Vorderarm zu beachten.

Fig. 186.

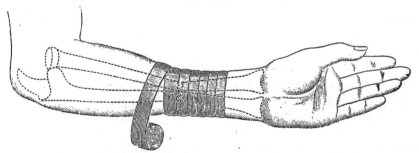

Gefahr der circulären Entwickelung des Vorderarms (nach Albert).

Geformte Pappschienen, welche sich der Körperoberfläche gut anschmiegen, verfertigt man über Arm- und Beinmodellen: Die angefeuchtete Pappe lässt man auf dem Modell trocknen und überzieht sie nachher mit Lack, wodurch sie erhärtet; derartige **zweischalige Schienen** hat Merchie empfohlen (Fig. 187 bis 190). Sie können als **Modelle für alle formbaren Schienen** dienen.

Fig. 187.

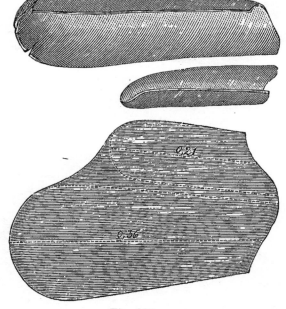

Fig. 188.

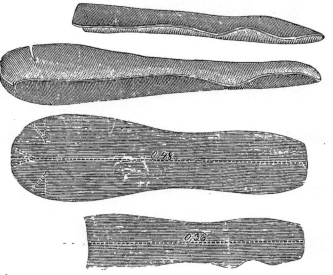

Modelle zu plastischen Schienen für den Arm nach Merchie.

9*

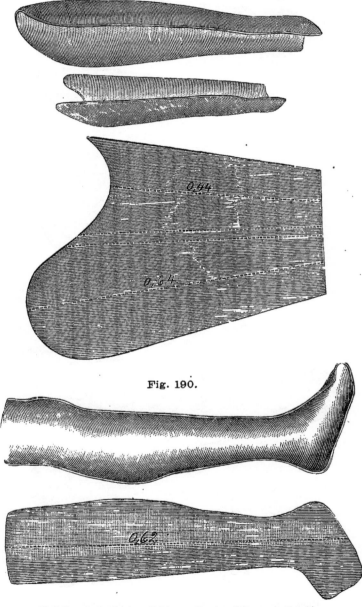

Fig. 189.

Fig. 190.

Modelle zu plastischen Schienen für das Bein nach Merchie.

Zweckmässiger aber sind so zubereitete Stoffe, welche in der Hitze weich, beim Erkalten rasch hart werden, sodass sie, in platten Tafeln verpackt, wenig Raum beanspruchen, und entsprechend zugeschnitten eine für den betreffenden Kranken genau passende Schiene geben. Diese heissen:

6. Plastische Schienen.

Plastische Pappe erhält man nach P. B r u n s, wenn man gewöhnliche Pappe mit einer starken Schellacklösung durchtränkt; sie erweicht durch den Dampf kochenden Wassers oder durch die trockene Wärme des Ofens oder Herdes und wird nach kurzer Zeit bretthart.

Plastische Cellulosetafeln (R. de F i s c h e r) bestehen aus fabrikmässig hergestellten dicken Holzfaserplatten, die auf einer Seite mit Wasserglas getränkt sind. Bestreicht man sie auf dieser Seite mit kochend heissem Wasser, so werden sie weich, lassen sich dem Gliede genau anpassen und erstarren schnell, nachdem sie, die durchtränkte Seite nach aussen, mit nassen Gazebinden festgewickelt sind. G e l e i m t e Cellulosetafeln (H ü b s c h e r) eignen sich besonders zur Herstellung plastischer Mieder.

Plastischer Filz (B r u n s), poroplastic felt, wird dargestellt aus gewöhnlichem dickem Sohlenfilz, der mit alcoholischer Schellacklösung bis zur völligen Durchtränkung bepinselt und darauf an einem warmen Orte getrocknet wird. Ehe er völlig trocken ist, wird er mit einem heissen Bügeleisen geplättet und geglättet. Durch trockne oder feuchte Wärme wird er weich, in diesem Zustande nach dem Körpertheil geformt und durch Uebergiessen oder Eintauchen in kaltes Wasser rasch erhärtet.

Guttaperchaplatten (2—3 mm dick), lassen sich ebenfalls durch vorsichtiges Eintauchen in heisses Wasser von 70^0 so biegsam machen, dass man sie leicht nach den nöthigen Formen schneiden und biegen kann. Durch Eintauchen in kaltes Wasser erhärten sie schnell. Diese Schienen sind zwar ziemlich theuer, eignen sich aber nicht nur zur Herstellung von Laden und Rinnen, sondern besonders zur Nachahmung anderer für bestimmte Zwecke angegebenen Schienen, die dann später, nachdem sie ihren Zweck erfüllt haben, wieder in andere Formen gebracht werden können, Fig. 191 zeigt z. B.

Fig. 191.

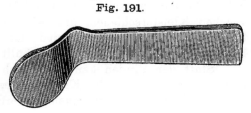

Radiusschiene nach Schede.

die **Radiusschiene** nach S c h e d e , auf welcher die Hand volar- und ulnarwärts gebeugt ruht, wodurch das nach oben verschobene untere Bruchstück des Radius am besten in seine natürliche Lage gebracht wird.

Die erhärtenden Verbände

umgeben das Glied vollständig mit einer festen Schale, wie ein Panzer, und lassen sich von ihm nicht ohne Weiteres entfernen, sie sind „inamovibel". Unter besonderen Massregeln während des Anlegens kann man sie aber durch Theilung ·oder Spaltung abnehmbar machen, „amovibel"; je nachdem es nöthig scheint, lässt sich das Glied daher frei ·bewegen oder es wird im Verband unbeweglich festgestellt; der Verband ist abnehmbar, „amovoinamovibel" (S e u t i n).

Die erhärtenden Verbände mit starr werdenden Stoffen wurden schon seit langer Zeit in Anwendung gezogen; die Verfahren waren aber meist sehr umständlich (Gummi, · Eiweiss, Pflaster u. s. w.), bis durch Einführung des Kleisters und des Gypses die Anfertigung solcher Verbände wesentlich vereinfacht wurde.

Der Kleisterverband

wurde von S e u t i n 1840 erfunden.

Bereitung des Kleisters. Man rührt Stärkemehl mit k a l t e m Wasser zu einem ebenen Brei und giesst dann unter stetem Rühren so viel k o c h e n d e s Wasser hinzu, bis ein klarer dickflüssiger Schleim entsteht.

Kleisterbinden sind Shirtingstreifen, welche durch den frischen Kleister gezogen und zu Bindenköpfen aufgewickelt worden sind.

Kleisterschienen macht man aus Pappstreifen, welche einmal rasch durch heisses Wasser gezogen und dann auf beiden Seiten mit Kleister dick beschmiert werden.

Anlegen des Kleisterverbandes. Das Glied wird zuerst mit einer feuchten Flanellbinde sehr sorgfältig eingewickelt, nachdem man die Vertiefungen an den Gelenken mit Watte ausgepolstert hat: Darüber wickelt man eine Kleisterbinde, legt auf diese die weichen Kleisterschienen, und wickelt dieselben mit einer Kleisterbinde fest. Zum Schluss wird das Ganze mit einer trockenen baumwollenen oder Mullbinde umhüllt.

Statt der Binden kann man sich auch der **Papierstreifen** bedienen, welche durch Kleister gezogen und nach Art der S c u l t e t'schen Binden angelegt werden.

Sehr einfach und praktisch ist der **Wattepappverband** nach Burggraeve.

Man schneidet Pappschienen nach der Form des Gliedes, kleistert sie und legt auf die eine Seite eine Schicht Watte; mit der wattirten Seite werden die Schienen an das Glied gelegt und durch trockene Mullbinden fest angewickelt, wobei man mit Schlangentouren anfängt, um nur erst die Schienen an dem Glied zu befestigen. Ueber die Mullbinde streicht man mit den Händen oder mit einem grossen Pinsel reichlich Kleister und bedeckt schliesslich das Ganze mit einer trockenen Calicotbinde.

Es dauert 2—3 Tage, bis ein Kleisterverband ganz trocken und hart wird; durch Blosslegen, Sonnen- und Ofenwärme kann man das Trocknen beschleunigen.

Um den Verband abnehmbar zu machen, spaltet man ihn mit einer starken Scheere der ganzen Länge nach, biegt die Kapsel auseinander und überklebt die Spaltränder mit Calicotbindenstreifen, die an einer Seite mit Kleister bestrichen sind. Dann wird die Verbandkapsel wieder angelegt und mit einigen Schnallengurten befestigt (Fig. 192).

Fig. 192.

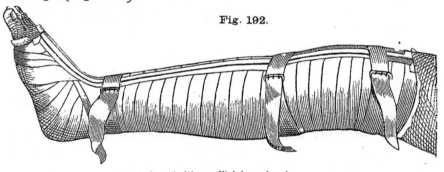

Aufgeschnittener Kleisterverband.

Aehnlich ist der **Leimverband** (Veiel, Bruns), bei welchem statt des Kleisters gewöhnlicher Tischlerleim für die Durchtränkung der Binden und Schienen angewendet wird; Leim trocknet schneller, als Kleister. Wenig ausgeführt wird der **Gummikreideverband** (Bryant, Wölfler) mit einem Gemisch von Gummiarabicumschleim und Kreide, und der **Paraffinverband** (Lawson Tait). Der **Tripolithverband** wurde durch von Langenbeck empfohlen; das Tripolith ist ein aschgraues Pulver, welches wie Gipspulver verwendet wird. Es hat aber vor diesem den Vorzug, nicht zu verderben durch Wasseraufnahme, schneller zu erhärten, und leichte poröse Verbände zu liefern.

Der Wasserglasverband.

Tränkt man Binden mit einer **frisch** bereiteten (alte Lösungen reizen und ätzen die Haut) concentrirten Lösung von neutralem kieselsaurem Kali (**Kali-Wasserglas**), welche ein specifisches Gewicht von 1,35—1,40 haben muss (**Böhm**), so kann man damit Verbände herstellen, welche vollkommen fest und hart werden, sobald das Wasser verdunstet ist.

Um die Erstarrung zu beschleunigen, rührt man zu dem Wasserglas fein pulverisirte Kreide oder ein Gemisch von gelöschtem Kalk und Kreide (1 : 10 **Böhm**), Magnesit (**König**) oder Cement (**Mitscherlich**), so dass der Brei so dick wie Honig wird, in welchen die Binden getaucht, oder womit die angelegten Binden mittelst eines grossen Pinsels bestrichen werden. Zum Schluss wird der ganze Verband noch mit dem trockenen Pulver bestreut und eingerieben. Streicht man darüber mit einem Pinsel etwas Spiritus, so bildet sich ein harter glasartiger Ueberzug. Die Wasserglasverbände zeichnen sich vor allem durch grosse **Leichtigkeit** aus, brauchen aber ebenfalls mehrere Tage, um völlig zu erhärten, sie sind daher nicht in allgemeinem Gebrauch.

Der Gipsverband

wurde 1852 von **Mathysen** erfunden. Er hat vor allen übrigen das voraus, dass er in kürzester Zeit hart und fest wird.

Das **Anrühren des Gipsbreies** geschieht am besten in einer Porzellanschale, indem man zu einem Haufen Gips unter beständigem Umrühren ungefähr ebensoviel kaltes Wasser giesst, so dass der Brei die Consistenz eines **dicken Rahmes** bekommt. Derselbe erstarrt in 5—10 Minuten zu einer festen Masse. Je besser und feiner das Gipspulver ist, desto schneller erhärtet der Brei. Ausgezeichnet bewährt sich der **Alabastergips**.

Will man die Erstarrung des Gipses **verlangsamen**, so nimmt man mehr Wasser oder mischt zu dem Wasser etwas Kleister, Leim, Gummi, Dextrin, Milch, Bier oder Borax.

Soll die Erstarrung **beschleunigt** werden, so nimmt man weniger oder heisses Wasser, oder setzt demselben etwas Kochsalz, Alaun, Kalkmilch, Wasserglas oder Cementpulver zu.

Ist der Gips durch Anziehen von Wasser aus der Luft verdorben, so. kann man ihn durch Erhitzen in einer offenen Pfanne, bis er keine Wasserdämpfe mehr ausstösst, wieder brauchbar machen.

Das **Anlegen des Gipsverbandes** kann auf verschiedene Weise geschehen:

Fig. 193.

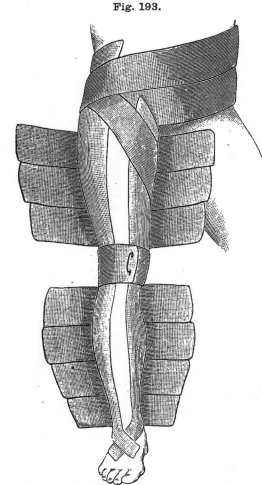

Gipsstreifenverband nach Pirogoff.

1. Gipsstreifenverband. Man taucht Binden-streifen in den Gipsbrei und legt sie nach Art der Scultet'schen Binden unmittelbar um das mit Oel oder Fett bestrichene oder zuvor rasirte Glied (Adelmann).

Statt der Bindenstreifen kann man auch zer-schnittene alte Klei-dungsstücke (wollene Strümpfe, Unterhosen, Unterjacken u. s. w.) oder grobe Sackleinewand ge-brauchen, welche sehr viel Gipsbrei aufnehmen (Piro-goff, Fig. 193).

2. Gipsumschlag. Man giesst Gipsbrei zwischen zwei Stücke Leinewand oder Baumwollenzeug, welche in der Mitte durch eine Längsnaht verbunden sind, und hüllt damit das mit einer Rollbinde oder Watte umwickelte Glied ein (Fig. 194, 195). So-bald der Gips erstarrt ist, kann man beide Hälften, welche durch die Naht hinten zusammenhängen, auseinanderklappen und die verletzte Stelle freilegen.

In neuester Zeit ist diese Art des Gipsverbandes, die nur sehr selten in Anwendung gezogen wurde, wieder mehr in Aufnahme gekommen durch den **Gipstafelverband** nach Fickert und die höchst bequeme **Gipswatte** nach Breiger, welche fabrik-

Fig. 194.

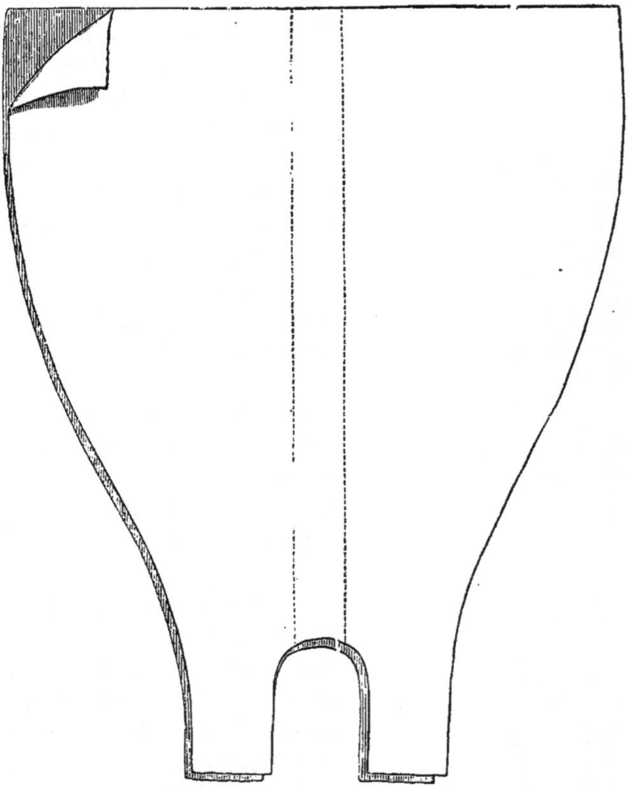

Doppelte Leinwandstücke zum Gipskataplasma für den Unterschenkel.

Fig. 195.

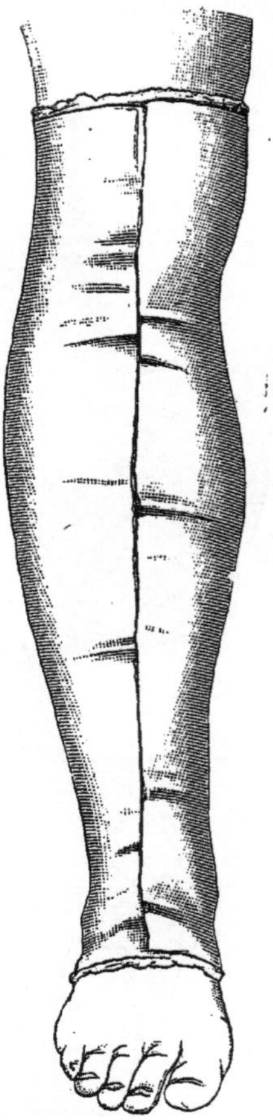

Gipskataplasma.

mässig mit Gipspulver durchsetzt ist. Die Stücke werden einfach in heisses Wasser getaucht und am Gliede befestigt. Nach 8—10 Minuten sind sie fest und hart. Diese reinlichste Art des Gipsens eignet sich daher auch zur Anfertigung plastischer Gipsschienen (s. S. 145).

3. Gipsbindenverband. Dieser Verband ist gewissermassen das Vorbild für alle erhärtenden Verbände; er wird am häufigsten angewendet und soll daher genauer beschrieben werden. Ueber eine das Glied umhüllende Unterlage werden Gipsbinden in 4—6facher Lage abgewickelt und zur Beschleunigung des Erhärtens das Ganze zum Schluss mit einer Lage Gipsbrei bedeckt.

Fig. 196.

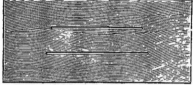

Brett zum Imprägniren der Gipsbinden.

Die **Gipsbinden** stellt man sich am billigsten selbst her, am einfachsten so, dass man das Ende des Bindenkopfes durch ein aufrechtstehendes in seiner Mitte mit zwei Längsspalten versehenes Brettchen (Fig. 196) steckt, vor welchem Gipspulver aufgehäuft ist und nun die Binde mit den Fingern in diesem Gipshaufen aufwickelt.

Fig. 197.

Gipsbindenmaschine nach Beely.

Schneller kommt man zum Ziele, wenn man die Binden in einer der zahlreich erfundenen **Gipsbindenmaschinen** herstellt (Fig. 197, 198).

Fig. 198.

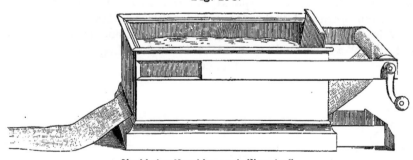

Gipsbinden-Maschine nach Wywodzoff.

Zu Gipsbinden verwendet man fast ausnahmslos die (gestärkten) Gazebinden (Klebe-, Organtinbinden). Gipsbinden und Gipspulver bewahrt man zusammen in einem Blechkasten auf, in dessen Mitte das oben erwähnte Spaltbrett das Pulver von den Binden trennt (Fig. 199).

Fig. 199.

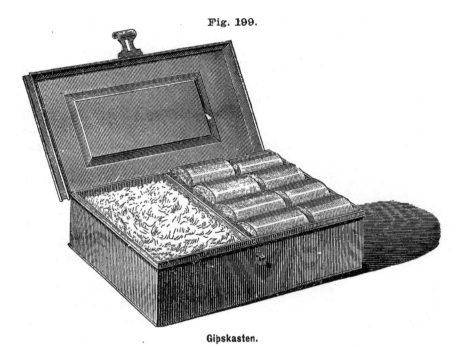

Gipskasten.

Wesentlich reinlicher, aber auch theurer sind die **fabrik-mässig** hergestellten Gipsbinden, die einzeln, in je einer Papp-oder Blechhülse hübsch verpackt, überall käuflich sind.

Selten werden Gipsbinden auf der blossen Haut angelegt.

Als **Unterlage,** zur Polsterung für das Glied, verwendet man meist die Wattebinden in nicht zu dicker Lage, da sonst der

Fig. 200.

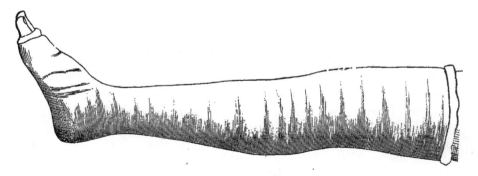

Gipsverband mit Unterlage von Wattebinden.

Verband zu weit werden würde, am besten so, dass man die geleimten Wattebinden der Länge und Fläche nach auseinandernimmt und die Hälften mit der geleimten Seite nach aussen zu anlegt (Fig. 200). Ebenso gut eignen sich trockene Mull- oder Flanellbinden.

Das **Anlegen der Gipsbinden.** Ganz kurz vor dem Gebrauch taucht man die Gipsbinde in eine Schüssel Wasser, so dass sie vollständig von demselben bedeckt ist, und wartet so lange, bis keine Luftblasen aus der Binde aufsteigen, hebt sie dann heraus, drückt sie sanft aus und beginnt die Einwickelung. Eine Gipsbinde darf **nchit** angezogen werden, da sie sonst einschnürt, zumal sie sich nach dem Trocknen noch ein wenig zusammenzieht; ebenso macht man möglichst wenig Umschläge, da diese Ungleichmässigkeit in der Dicke des Verbandes bedingen, vermeidet überhaupt die kunstgerechte Anlegung, sondern steigt in Hobelgängen langsam von unten nach oben empor, wobei darauf zu achten ist, dass die Binde nicht k l a f f t und mit ihrem einen Rande drückt. Um den Verband überall gleichmässig dick zu machen, bedarf es ziemlicher Uebung; am meisten empfiehlt es sich, möglichst breite (10—15 cm) Binden zu gebrauchen; bei den schmäleren sind Ungleichheiten weniger zu vermeiden. Bemerkt man schliesslich doch eine dünnere Stelle, so kann man diese f l i c k e n, indem man entsprechend lange Bindestreifen, die sich völlig decken, darauf klebt.

Ein n u r mit Binden angelegter Verband trocknet ziemlich l a n g s a m. In den meisten Fällen ist es daher rathsam, über die Bindenschicht eine Lage Gipsbrei zu legen; derselbe wird ziemlich dünnflüssig in heissem Wasser angerührt und schnell, aber überall gleichmässig, aufgetragen. Ehe er völlig erhärtet (was ziemlich schnell geschieht), thut man gut, der Oberfläche des Verbandes ein schönes Aussehen zu geben, indem man mit den in warmes Wasser getauchten Händen den Verband glättet. Kleinere Unebenheiten füllt man mit Gipspulver aus und verreibt es mit den feuchten Händen. Ist der Verband erhärtet, so kann man ihn noch, während er dampft, mit einem glatten Metallstück (Messerstiel u. s. w.) p o l i r e n; er wird dadurch haltbarer und färbt nicht ab.

Den **Rändern des Verbandes** muss man beim Anlegen besondere Aufmerksamkeit widmen, da an ihnen die Gipslage meist nur dünn ist und daher leicht abbröckelt. Am schönsten und zweckmässigsten ist es, wenn man die Unterlage (Watte, Binden) etwas unter der Gipslage vorstehen lässt, nach Beendigung des

Verbandes diese vorstehenden Ränder wie eine Manschette um-
biegt und auf dem Gips mit einer Gipsbinde oder etwas Gipspulver festklebt (Ris, Billroth, Fig. 201).

Das **Trocknen des Verbandes,** nachdem er erhärtet ist, nimmt
verschieden lange Zeit in Anspruch. Am besten lässt man ihn
unbedeckt, so dass das Wasser verdunsten kann; wo es an-
geht, kann man das Trocknen durch Sonnen- oder Ofenwärme
beschleunigen.

Fig. 201.

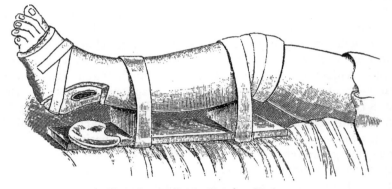

Gipsverband mit umgeklappten Bändern.

Treten in dem frischem Verbande durch ungeschickte Bewegungen beim Transport oder Unruhe des Kranken **Risse** auf,
so verkittet man diese schnell durch Ueberstreichen recht dünnen
Gipsbreies, der tief in die Fugen eindringen kann.

Will man den Verband wasserdicht machen, so bepinselt
man ihn, wenn er völlig trocken ist, mit Leinölfirniss, Damarlack,
Copallack u. dgl.

Das **Abnehmen des Gipsverbandes** geschieht am besten so,
dass man mit einem kräftigen kurzen Messer (Fig. 202) eine
Furche in die oberste Lage ritzt und diese durch Hin- und
Herfahren mit der kegelförmigen scharfen Spitze am Handgriff
bis in die Bindenschicht hinein vertieft; diese wird mit einer
starken Scheere mit langen Armen (Fig. 203) vorsichtig durchschnitten. Die Schale wird dann auseinandergebogen und das
Glied herausgehoben. Man kann auch die Rinne mit starkem
Salzwasser überrieseln, wodurch der Gips schnell erweicht und
die Bindenlage sich leichter schneidet.

Am schnellsten aber kommt man zum Ziel, wenn man mit
der Spitze eines schlanken Hammers den Verband aufschlägt;
die Schläge müssen hierbei nicht senkrecht, sondern möglichst
schräg (tangential) geführt werden, um dem Kranken keine
Schmerzen zu machen. Ist die Gipsschale so dick, dass sie sich
nur schwer bis zur erforderlichen Weite auseinanderbiegen lässt,
so hämmert man auf der gegenüberliegenden Seite eine flache
Rinne, in welcher sich die Schalen wie in einem Charnier be-
wegen können.

Fig. 202.

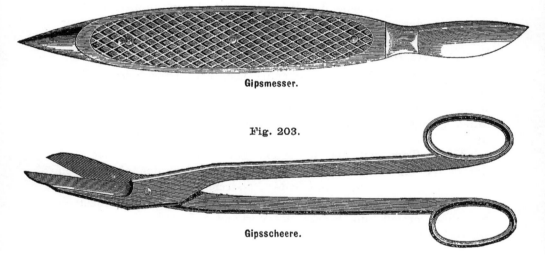

Gipsmesser.

Fig. 203.

Gipsscheere.

Fig. 204.

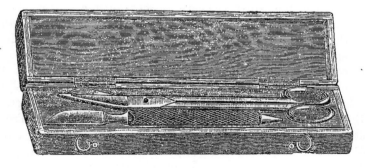

Gipsschere und Gipsmesser als Besteck.

Statt des Hammers kann man übrigens auch eine kleine Blattsäge, G i p s s ä g e , benutzen, mit welcher glattere Schnittränder · erzielt werden.

Abnehmbarer Gipsverband. Sehr häufig legt man einen Gipsverband von vornherein in der Absicht an, ihn längere Zeit als abnehmbare Schutzkappe **(Tutor)** tragen zu lassen, z. B. · nach Resektionen, besonders des Kniegelenks, oder als **Gipscorsett** zur Behandlung der Scoliose. In diesem Falle muss man den Verband gut passend und leicht, aber auch dauerhaft anlegen. Als U n t e r l a g e wählt man am besten das T r i c o t g e w e b e , welches sich allen Körperformen gut anschmiegt. Am meisten gebraucht sind die Tricotschläuche des Handels; sie müssen doppelt so lang sein, als der anzulegende Verband; die eine Hälfte dient zur Unterlage der Gipsbinden, die andere wird über den erhärteten Verband als Bezug herübergeschlagen.

Zu solchen Tutoren verwendet man n u r Gipsbinden. Nach S a y r e legt man sie folgendermassen an: Die etwa 5—8 cm breiten Binden werden in Hobelgängen möglichst g l a t t um das Glied gelegt; Umschläge werden vermieden, indem man die Binde an der betreffenden Stelle abschneidet; während der Einwickelung wird jede Tour mit der folgenden gut v e r r i e b e n . Dies thut am besten ein Gehülfe, der mit beiden Händen der ablaufenden Binde folgt und sie · am Gliede feststreicht. Es wird hierdurch eine grössere Festigkeit und innigere Verklebung der einzelnen Schichten erzielt; die Stärke des Verbandes darf $^1/_2$ cm nur selten überschreiten.

Ist der Verband fast erhärtet, so werden die Binden in einer vorgezeichneten geraden Linie mit einem sehr scharfen Messer und der Tricot mit einer Scheere durchschnitten. Um aber eine gerade hierbei leicht mögliche Verletzung des Kranken zu verhüten, thut man gut, vor Anlegung des · Verbandes an der gewünschten Stelle einen P a p p s t r e i f e n , S p a n oder dergl. unter den Tricot zu schieben; auch genügt ein länglicher Wulst Watte oder ein S t r i c k (S z y m a n o w s k i). Nachdem der Verband aufgeschnitten ist, wird er vorsichtig so weit aufgeklappt, dass das Glied herausgenommen werden kann und nun zum Trocknen aufgestellt. Nach 2—3 Tagen überzieht man ihn dann mit dem Tricot, der an den Rändern überall mit der inneren Lage vernäht wird, so dass der ganze Verband umsäumt ist; an der auf-

geschnittenen Seite wird endlich vom Bandagisten auf zwei Lederstreifen eine Schnür- oder Schnallenvorrichtung angebracht (Fig.
205).

Billiger als das Tricotgewebe sind meist die gewöhnlichen,
als Unterzeug dienenden leichten baumwollenen Jacken und Hosen,

Fig. 205.

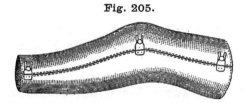

Gipstutor für das Knie.

ebenso lange Kniestrümpfe, von denen man je ein Stück als Unterlage und als Ueberzug gebraucht. Namentlich mit Strümpfen
lassen sich sehr schön aussehende **Gipsstiefel** anlegen (für um-
gestellte Plattfüsse, Klumpfüsse, Resectionen u. s. w.).

Fig. 206.

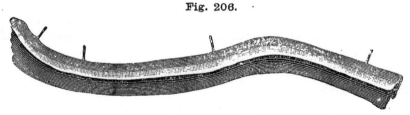

Dorsale Hanf-Gipsschiene nach Beely für den Unterschenkel.

Plastische Gipsschienen (Beely) fertigt man aus Bündeln
von Hanf, Flachs, Jute oder weichgeklopftem Stroh (Anschütz),
welche, in dünnen Gipsbrei getaucht, dem (zuvor eingeölten und
darüber mit einer nassen Mullbinde umwickelten) Gliede angelegt
werden. Die nur etwa 1 cm dicken Faserbündel werden eins
nach dem andern, sich deckend, aufgelegt und schliesslich die
Oberfläche mit etwas Gipsbrei glatt gestrichen. Diese abnehm-
baren Gipsschienen eignen sich besonders gut beim Verbande
complicirter Fracturen. Will man die Glieder in ihnen aufhängen,
so gipst man an mehreren Stellen Haken oder Oesen aus Draht
ein (Fig. 206).

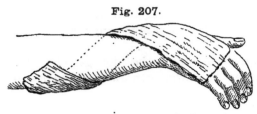

Fig. 207.

Spiralschiene nach Braatz für Radiusfractur.

Noch bequemer und reinlicher lassen sich solche Schienen mit der Gips- watte nach Breiger an- legen z. B. die **Spiralschiene** nach Braatz für Radius- brüche, welche die Hand sicher in Beugung und Abduction hält, ohne die Bewegungen der Finger zu beschränken (Fig. 207).

Verstärkung des Gipsverbandes.

Um den Gipsbindenverband haltbarer und weniger leicht zerbrechlich zu machen, kann man eine dickere Lage Gipsbrei aufschmieren, wodurch aber der Verband unansehnlich, plump und schwer wird. Zweckmässiger ist es, ihm durch Einlegen von Holzspänen (Tapetenspan Völckers, Schusterspan Neu- dörfer), fournirten Holzplatten, Blechstreifen oder Draht eine grössere Festigkeit zu geben, ohne ihn dadurch wesentlich schwerer zu machen.

Von diesen Stoffen werden die Holzspäne wegen ihrer Leichtig- keit und Wohlfeilheit am meisten bevorzugt; daher mögen folgende Beispiele für den

Span-Gipsverband

angeführt werden:

a. am **Oberarm** (bei Fracturen des Oberarmes und Ent- zündungen des Schultergelenkes).

Der im Ellbogen rechtwinklig gebeugte und in der Schulter abducirte Arm wird mit Flanellbinden bis oberhalb des Ellbogen- gelenkes sorgfältig eingewickelt, von da an der Oberarm und die Schulter mit Wattebinden. Dann wird der ganze Arm vom Hand- gelenk bis zur Schulter mit einer Gipsbinde eingewickelt, gegen den Körper angelegt und durch eine Mitella unterstützt. Nun legt man die Mitte eines langen Tapetenspans unter den Ellbogen, führt seine beiden Hälften an der vorderen und hinteren Seite des Ober- armes hinauf und lässt seine Enden auf der Schulter sich kreuzen. Ein zweiter langer Span wird an der Aussenseite des Armes ent- lang vom Handgelenke bis zur Seite des Halses hinauf angelegt (Fig. 208). Zum Schluss umhüllt man die Späne, den Arm und die Mitella mit Gipsbinden nach Art des Desault'schen Verbandes (Fig. 209).

b. am **Unterarm** (bei Fracturen desselben und Entzündungen des Ellbogengelenkes).

Fig. 208. Fig. 209.

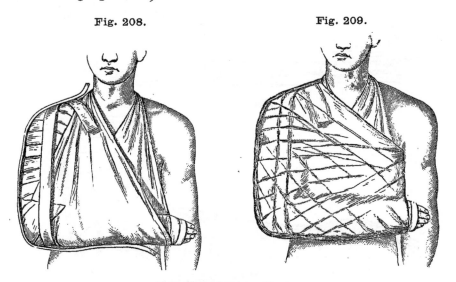

Span-Gipsverband am Oberarm.

Nachdem der im Ellbogen rechtwinklig gebeugte Arm mit Watte und darüber mit Gipsbinden eingehüllt ist, werden zwei lange Späne, wie Zügel, um das Gelenk gelegt, von denen der eine an der vorderen und hinteren Seite des Vorderarms entlang läuft, der andere um den Ellbogen herum zum Oberarm hinaufsteigt. Zwei Späne fügt man an der oberen und unteren Fläche des Arms hinzu und befestigt alle vier mit einer Gipsbinde (Fig. 210, 211).

Bei erheblicheren Verletzungen und nach Resection des Ellbogengelenks kann man den (gefensterten) Gipsverband in stumpfwinkliger Beugung und halber Supination anlegen. Die Anordnung der Späne in diesem Falle zeigt Fig. 212, 213.

c. am **Beine** (bei Fracturen seiner Knochen).

Der Gipsverband bei Beinbrüchen ist in der Neuzeit wesentlich eingeschränkt und nur noch für die Brüche des Schaftes oder der Knöchel des Schienbeins, oder der Fussknochen in Anwendung. Bei Brüchen des Oberschenkels gebraucht man mit besserem Er-

10*

Fig. 210.

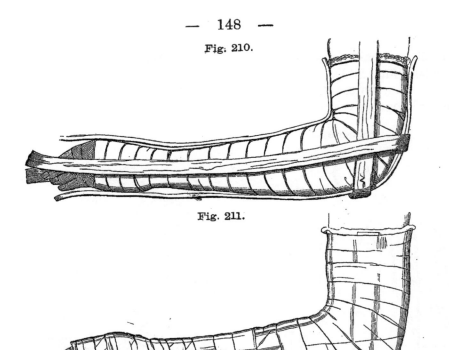

Fig. 211.

Span-Gipsverband am Unterarm.

Fig. 212.

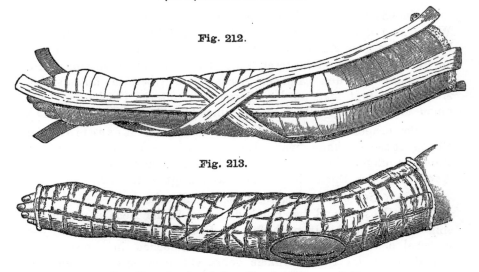

Fig. 213.

Span-Gipsverband nach Resection des Ellbogengelenks.

folge einen Zugverband. Bei schweren Verletzungen der Beckenknochen, und namentlich um das Hüftgelenk bei Entzündungen ruhig zu stellen, oder nach Resection des Schenkelkopfes in der Nachbehandlung dem Beine eine feste Stütze zu geben, ist der Gipsverband noch vielfach gebraucht. Ebenso als leichter Tutor nach Resectionen des Knie- oder Fussgelenkes.

Fig. 214.   Fig. 215.   Fig. 216.

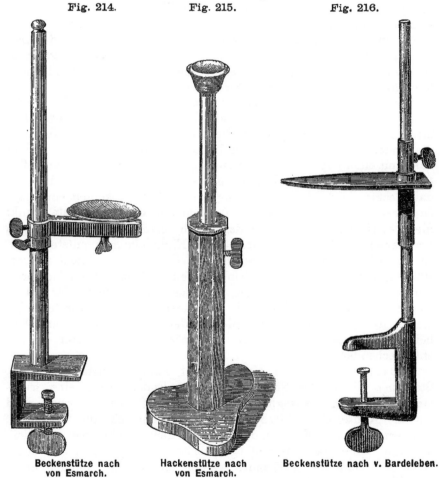

Beckenstütze nach   Hackenstütze nach   Beckenstütze nach v. Bardeleben.
von Esmarch.   von Esmarch.

Will man einen Gipsverband am Bein anlegen, der zugleich das Becken umfasst, so muss man den Kranken so lagern, dass auch die hintere Seite des Beckens frei zugänglich ist; eine gewöhnliche Beckenstütze nach Volkmann genügt hier nicht, da

sie zu viel Raum bedeckt. Daher bedient man sich besser der
für diesen Zweck angegebenen, am Tisch anzuschraubenden
Beckenstützen (v. Esmarch, v. Bardeleben, Fig. 214, 216),
auf welche der Kranke mit der Kreuzbeingegend gelagert wird,
während ein (oder zwei) Helfer die Beine hält und an ihnen
den Damm des Kranken gegen die mit Watte umwickelte Eisen-
stange anzieht (Contraextension). Zur Unterstützung der Hacke
während der Anlegung des Verbandes kann man eine stellbare
Hackenstütze (Fig. 215) verwenden. Der Rücken wird durch
eine gepolsterte Beckenstütze oder ein hohes Kissen gestützt,
so dass der Patient in wagerechter Lage, etwa zwei Hände hoch
über dem Tisch, gleichsam schwebt.

Zunächst wird nun das Bein und das Becken mit Wattebinden umhüllt, über die eine Gipsbinde gewickelt wird. Darauf legt
man je einen langen Span an die vier Seiten des Beines und lässt
die Enden von Gehülfen in ihrer Lage festhalten (Fig. 217), wickelt
dann mit einer Gipsbinde in Schlangengängen die Späne vorläufig fest
(Fig. 218) und legt nun darüber mehrere breite Gipsbinden, die auch
das Becken in Achtergängen umgeben. Darüber kommt eine Lage
Gipsbrei. Da bei solchen Hüftverbänden der schwächste Punkt
die Leistenbeuge ist, in der durch unvorsichtige Bewegungen
und namentlich beim Aufrichten leicht Einknickungen entstehen, so
ist es rathsam, an dieser Gegend die Gipslage genügend zu verstärken, nöthigenfalls durch Einlegen einer Blechplatte oder dergl.
Holzspäne nützen hier weniger, da auch sie gerade in der Fläche
biegsam sind. — Schliesslich schneidet man die vorstehenden
Enden der Späne ab, glättet die Ränder des Verbandes und legt
bei etwa vorhandenen Wunden oder Fisteln ein Fenster an der
entsprechenden Stelle an (Fig. 219).

Dittel lagert den Kranken auf zwei Eisenstäbe (Rohre,
Stangen), die in der Nähe ihres einen Endes durch eine hand-
lange Querstange beweglich verbunden sind. Dieses Ende wird
auf die Kante eines Tisches gelegt und der Kranke so darauf
gelagert, dass nur Kopf und Brust auf dem Tische, der Unterleib
und die Beine aber auf den (gespreizten) Stangen frei schweben.
Nach Anlegung des Verbandes werden die Stangen einfach unter
der Bindenschicht hervorgezogen.

Die von mehreren Chirurgen empfohlenen Vorrichtungen zur
Lagerung und Extension bei diesem Verbande sind ziemlich
umfangreich und nicht überall anwendbar.

Fig. 217.

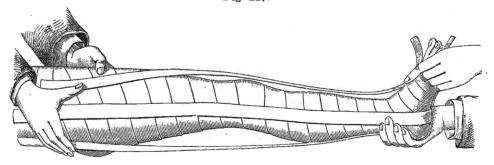

Fig. 218.

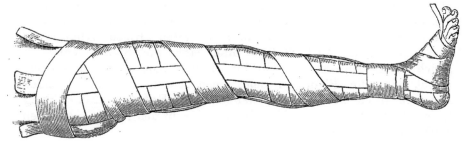

Fig. 219.

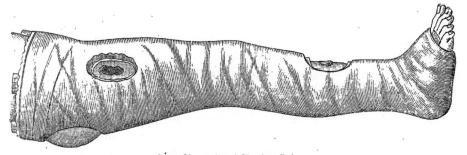

Span-Gipsverband für das Bein.

Der Gipsverband für das Knie müss, wenn er wirksam sein soll, den Ober- und Unterschenkel vom Trochanter bis zu den Knöcheln umfassen.

Beim Bruch des Schaftes oder der Knöchel des Unterschenkels soll der Verband von den Zehen bis zum Kniegelenk reichen. Da gerade in dieser Gegend durch die starke Muskulatur sehr starke Verschiebungen der Fragmente entstehen, welche nicht immer durch die Kraft des am Fusse ziehenden Helfers ausgeglichen werden können, so ist es rathsam, am Fusse eine Schlinge anzubringen, in welcher das gebrochene Bein durch einen Flaschenzug senkrecht in die Höhe gezogen wird, wobei der Körper des Kranken das Gegengewicht bildet. In dieser Stellung gleichen sich alle Verschiebungen aus; sie lässt sich mühelos bis zur völligen Erhärtung des Verbandes beibehalten.

Gefensterter Gipsverband.

Dort, wo sich kleinere Wunden oder Fistelöffnungen befinden, muss der Gipsverband mit entsprechenden Oeffnungen (Fenstern) versehen werden, um diese Stellen einer geeigneten Behandlung zugängig zu machen, die Wunde zu jeder Zeit besichtigen zu können und ihren Secreten freien Abfluss zu verschaffen (Fig. 213, 219). Man lässt die Stellen entweder gleich beim Anlegen der Gipsbinden frei, indem man Umschläge macht oder die Binde an dem einen Rande des anzulegenden Fensters abschneidet und an der anderen Seite die Einwicklung fortsetzt, oder man schneidet die Fenster in den fertig angelegten Verband mit einem scharfen Messer ein.

Um die richtige Stelle zu treffen, empfiehlt es sich, auf die reichlich mit Verbandstoffen bedeckte Wundgegend einen Gegenstand zu legen, der als Buckel hervortritt, auf den man dreist einschneiden kann, z. B. einen Watteballen, Tupfer, Pfropfen, Schälchen, Kartoffel oder derartiges.

Zur Verhütung des Eindringens von Wundsecret zwischen Haut und Gipsverband müssen die Fensterränder fest mit gewöhnlicher Watte unterpolstert sein; man kann diesen Wattering durch Beschmieren mit Collodium, Firniss, Lack, Kitt noch wasserdichter machen. Firnisspapier schliesst weniger gut ab, wohl aber Heftpflaster, wenn man es von vorherein zur Fensterbildung gebraucht. Zu dem Zwecke stellt man aus ihm etwa fingerlange Röhren her, die durch Umbiegen ihres mehrfach eingekerbten einen Endes über die Wunden. geklebt werden, so dass sie wie Schornsteine auf der Haut stehen; nun legt man wie gewöhnlich die Gipsbinden an, so dass die Höhlung der Röhren frei bleibt und umsäumt mit dem über den Verband hervorstehenden Ende die obersten Schichten.

Sind aber die Wunden so gross, dass durch ein entsprechend grosses Fenster die Festigkeit des Verbandes beeinträchtigt würde, z. B. nach schweren complicirten Fracturen, oder muss man den ganzen Umfang des Gliedes an einer Stelle frei haben, um den Verband, so oft es nöthig ist, zu erneuern, wie z. B. nach Gelenkresectionen, so legt man den erhärtenden Verband in zwei Hälften an, die durch einen festen Bogen (Bügel, Brücke) mit einander verbunden werden. Dieses ist dann ein

Unterbrochener Gipsverband,

welcher bei der antiseptischen Wundbehandlung fast gar nicht angewandt zu werden braucht, da man die Verbände nur selten wechselt und dann in den einfacheren Draht- und Holzschienen genügenden Ersatz hat. In früheren Zeiten aber waren sie bei dem häufigen Wechsel des Verbandes nothwendiger und trugen wesentlich dazu bei, dem Arzte Zeit und Arbeit, dem Kranken Schmerzen zu ersparen. Wenn man daher in Fällen von Sepsis oder Vereiterung der Gelenke conservativ vorgehen will, können sie auch jetzt noch als sehr bequeme Verbände empfohlen werden, die den oftmaligen Verbandwechsel in kurzer Zeit und ohne besondere Hülfe ermöglichen.

Fig. 220.

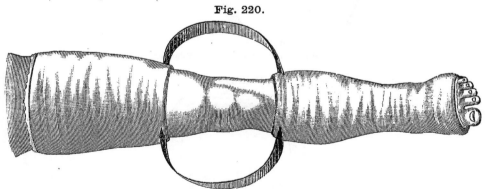

Bügel-Gipsverband für das Knie.

So kann man die Wundgegend an zwei Seiten durch starke **Bügel von Bandeisen,** deren gerade Enden in den Verband ein- gegipst werden, überbrücken (Fig. 220, 221). Um die federnde Beweglichkeit dieser Eisenbügel aufzuheben, umgiebt man sie mit Hanf oder Jute, die in Gipsbrei getaucht sind. Auch kann man

mit diesen Gipshanfschienen allein einen Bügelverband
herstellen (Beely, Fig. 222, 223), der an einigen eingegipsten
Oesen auch leicht in die Schwebe gebracht wird.

Auch mit geraden **Holzlatten** lassen sich Brückenverbände
herstellen, zumal wenn das Glied nur an einer Seite zugänglich
zu sein braucht. Nachdem man oberhalb und unterhalb der verletzten Stelle einen regelrechten Gipsverband angelegt hat, verbindet man beide Theile durch Lattenstücke (Stangen), welche auf
gipsdurchtränkten Watte- oder Wergbäuschen an den Verband an-
geklebt und mit Gipsbinden noch ausserdem befestigt werden

Fig. 221.

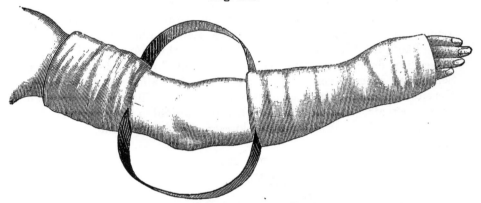

Bügel-Gipsverband für den Ellbogen.

Fig. 222.

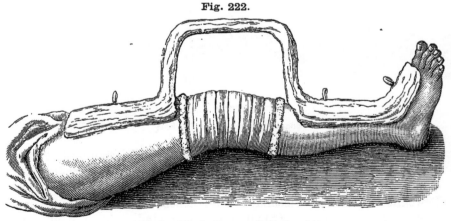

Gipshanfbügelschiene nach Beely. I.

Fig. 223.

Gipshanfbügelschiene nach Beely für das Knie. II.

(Fig. 224). Aehnlich ist der **Brückengipsverband** nach Pirogoff, der sich recht gut, namentlich als Nothverband, bewährt: Nachdem ein Stück in Gipsbrei getauchte grobe Sackleinwand (Aermel, Hose) als starke Gipsschiene an die untere Seite des Gliedes gelegt ist, werden auf die obere Seite ober- und unterhalb der Wunde zwei grosse in Gipsbrei getränkte Wergballen (Stroh, Heu) gelegt und über diesen die Holzlatte wie eine Brücke auf ihren Pfeilern mit breiten Gipsleinewandstreifen befestigt (Fig. 225).

Fig. 224.

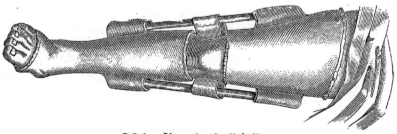

Brücken-Gipsverband mit Latten.

Noch bequemer und auch leichter sind die sog. **Resections-schienen** in Verbindung mit Suspensionsdrähten (**Gips-schwebeschienen**), die durch Gipsbinden fest mit dem Gliede ver-bunden werden, eine Verbandart, die zuerst von Watson für das Kniegelenk und später auch für die übrigen Gelenke angewendet wurde (von Esmarch).

Fig. 225.

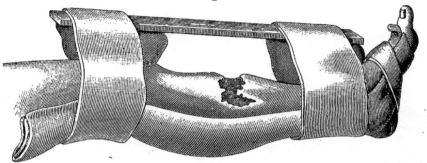

Brücken-Gipsverband nach Pirogoff.

Die Schienen verjüngen sich an den für das resecirte Gelenk bestimmten Stellen zu einer schmalen Verbindungsbrücke, während der dazu gehörige Draht sich über dieser Stelle bogenförmig wölbt.

Man legt diese Schienen in folgender Weise an:

Nachdem das kranke Gelenk antiseptisch verbunden und das ganze Glied mit Wattebinden umwickelt ist, wird die gut ge-reinigte Schiene mit zwei Moospolstern belegt, welche die schmale Brücke zwischen sich frei lassen; diese umwickelt man mit anti-septisch gemachtem Kautschuckstoff oder schützt sie in irgend einer andern Weise vor dem Eindringen von Secret; dann wickelt man die Schiene an der unteren Seite des Gliedes mit Gipsbinden fest, wobei die Gelenkgegend völlig frei bleibt. Mit der letzten Gipsbinde wird der Suspensionsdraht an der vorderen Fläche des Gliedes eingegipst und an ihm, sobald der Verband völlig trocken ist, das Glied in einem Galgen zur Schwebe gebracht. Fig. 226 bis 237 zeigen diese Schienen für die verschiedenen Gelenke. Statt der Schienen aus Holz kann man auch sich im Nothfalle ähnlich geformte aus starkem Blech schneiden oder aus (Telegraphen-) Draht zusammenbiegen (Fig. 238—240).

Fig. 226.

Fig. 227.

Fig. 228.

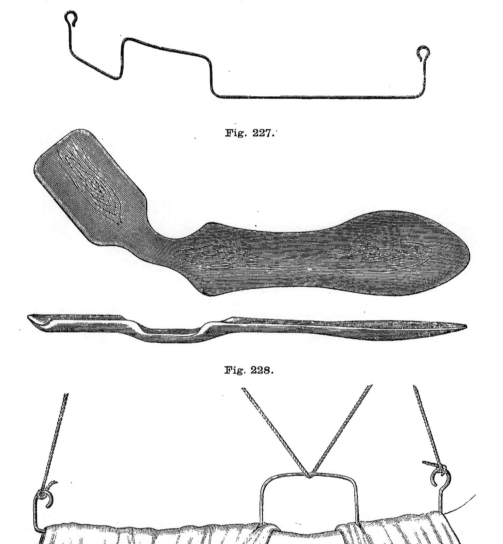

Gipsschwebeschiene nach von Esmarch für Resection des Ellbogengelenks.

Fig. 229.

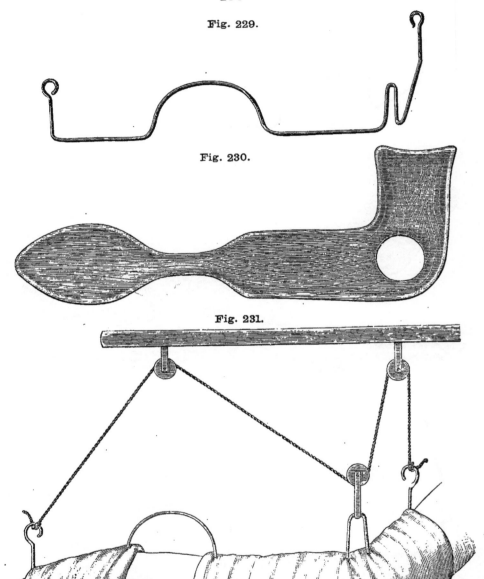

Fig. 230.

Fig. 231.

Gipsschwebeschiene nach von Esmarch für Resection des Handgelenks.

Fig. 232.

Fig. 233.

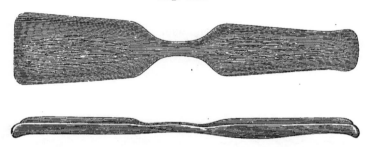

Fig. 234.

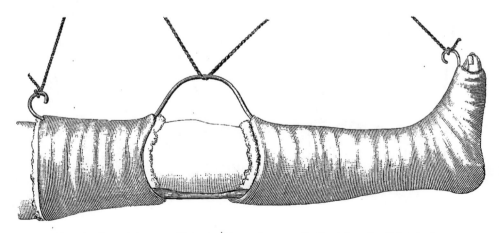

Gipsschwebeschiene nach Watson und von Esmarch für Resection des Kniegelenks.

Fig. 235.

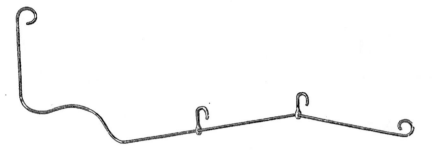

Fig. 236.

Fig. 237.

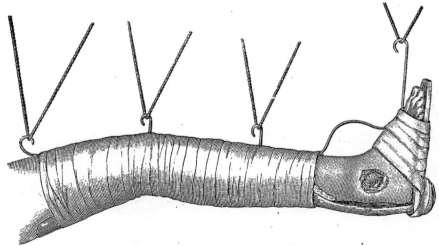

Gipsschwebeschiene nach von Esmarch für Resection des Fussgelenks.

Fig. 238.

Fig. 239.

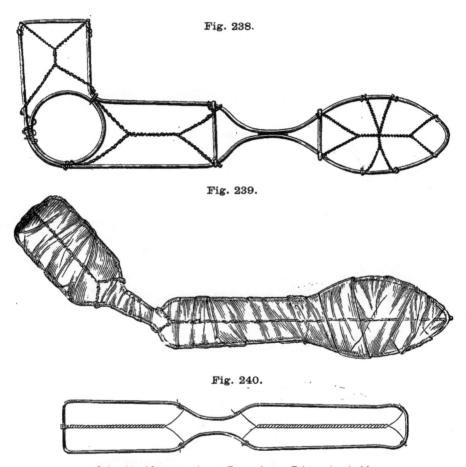

Fig. 240.

Schwebeschienen nach von Esmarch aus Telegraphendraht.

Die **hölzerne Dorsalschiene** nach v. Volkmann (Fig. 241, 242), welche mit Gips- oder Stärkebinden an der oberen Fläche des Gliedes festgewickelt wird, giebt dem kranken Gelenke einen festen Halt und eignet sich besonders für die Fälle, in denen sich an der unteren Seite des Gliedes grosse Wundflächen, Fisteln, Decubitus befinden.

Will man aber den ganzen Umfang des Gliedes frei haben, so kann man eine dorsale und eine volare Schiene durch starke Drahtbügel mit einander verbinden (von Esmarch). Diese **eisernen Bügelschienen** bewähren sich namentlich für das Hand-

Fig. 241.

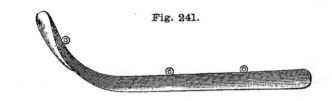

Fig. 242.

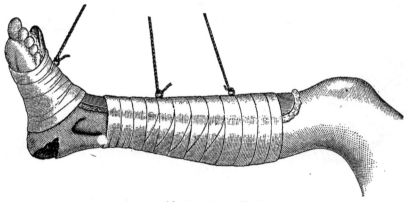

Dorsalschiene nach von Volkmann.

Fig. 243.

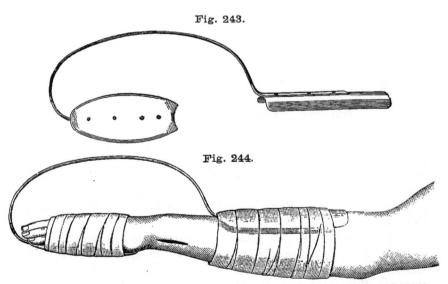

Fig. 244.

Eiserne Bugelschiene nach von Esmarch für Resection des Handgelenks.

und Fussgelenk; sie werden mit Gipsbinden befestigt und sind leicht und bequem (Fig. 243—246).

Fig. 245.

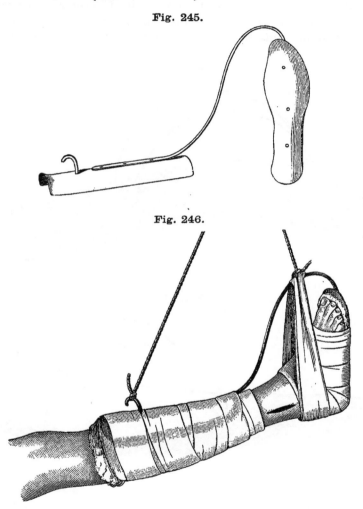

Fig. 245.

Fig. 246.

Eiserne Bügelschiene nach von Esmarch für Resection des Fussgelenks.

Für das Ellbogengelenk ist meine **Doppelschiene** (Fig. 247, 248) recht brauchbar und leicht herzustellen; beim Wechseln des Verbandes wird die unterbrochene gepolsterte Bügelschiene, auf welcher der Arm ruht, von dem unteren Brett abgehoben.

11*

Sehr bequem, aber etwas schwer und umfangreich ist meine **getheilte eiserne Schwebeschiene** für das Ellbogengelenk, aus drei Klappschienen bestehend, deren in Charnieren bewegliche Arme an einer eisernen Tragstange befestigt werden; beim Verbinden wird die mittlere Schiene entfernt (Fig. 249, 250).

Fig. 247.

Fig. 248.

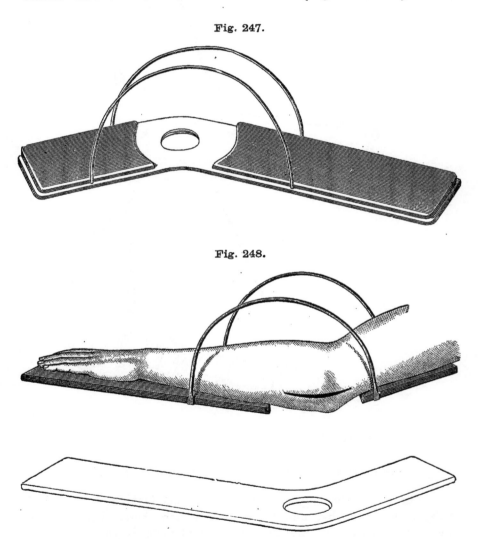

Doppelschiene nach von Esmarch für Resection des Ellbogens.

Fig. 249.

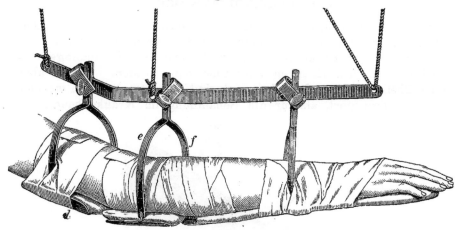

Fig. 250.

Getheilte eiserne Schwebeschiene nach von Esmarch für Resection des Ellbogens.

Die Lagerungsverbände

dienen zur bequemen und sicheren Lagerung verletzter Glieder, entweder allein oder in Verbindung mit anderen Verbänden.

Namentlich bei ausgedehnten und schweren Verwundungen erleichtern sie dem Kranken wesentlich seine Leiden. Da sie aber zum Theil schwer und umfangreich sind, so eignen sie sich weniger für den Transport, als für die Behandlung im Krankenhause.

Fig. 251.

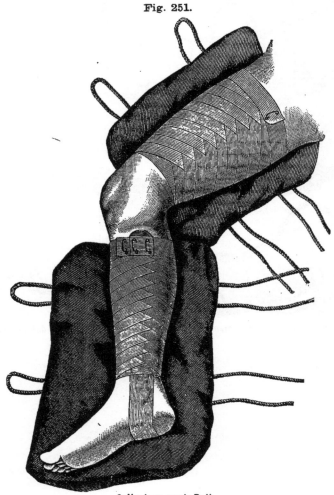

Seitenlage nach Pott.

Für die Kriegspraxis sind diejenigen am besten zu gebrauchen, welche nicht zu schwer, zu complicirt und zu kostspielig sind und sich von jedem Handwerker nach der Zeichnung leicht anfertigen lassen.

Wenn bei schweren Verletzungen am Beine andere Hülfsmittel nicht zur Hand sind, so wendet man als einfachstes vorläufiges Lagerungsverfahren die **Seitenlage** nach Pott (Fig. 251) an, d. h. man legt das Bein auf Kissen mit halbgebeugtem Knie- und Hüftgelenk auf die äussere Seite, wodurch die Muskeln erschlafft und Kreislaufsstörungen vermieden werden.

Soll der Verletzte in dieser Lage transportirt werden, so bindet man die Kissen mit Stricken um das Glied zusammen.

Für den weiteren Transport solcher Schwerverletzten, namentlich wenn es sich um Verwundung b e i d e r unteren Extremitäten handelt, eignet sich die **Drahthose** nach Bonnet (Fig. 252), ein gut gepolsterter Drahtkorb, in welchem die gebrochenen Glieder vortrefflich liegen. Auch lassen sich Klappen daran anbringen, um die Wunden verbinden zu können, ohne das Glied aus der Lage zu bringen. Am Fussende sind Vorrichtungen für die Extension vorhanden. Dieser Apparat ist zwar sehr bequem für den Kranken, aber zu kostspielig, umfangreich und den heutigen Anforderungen an chirurgische Reinlichkeit wenig entsprechend.

Fig. 252.

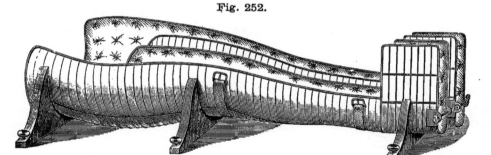

Drahthose nach Bonnet.

Aus dem käuflichen Drahtgittergewebe (Drahtsiebstoff) lassen sich aber auch Drahthosen herstellen, welche leichter als die Bonnet'schen und so biegsam sind, dass sie platt ausgebreitet (Fig. 253) wenig Raum beanspruchen; auch lassen sie sich besser reinigen.

Fig. 253.

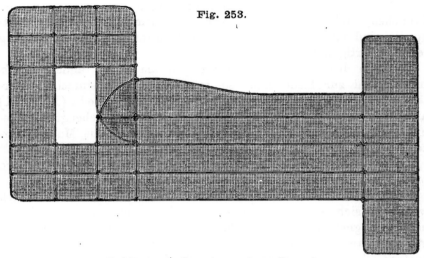

Drahthose zum Verpacken nach von Esmarch.

Die **doppeltgeneigte Ebene** (planum inclinatum duplex) eignet sich hauptsächlich für schwere Verletzungen und Brüche des Beines; sie wird entweder, wie Fig. 254, nach Art einer Petit'schen Lade construirt, oder einfacher, wie Fig. 255, aus einigen Brettern zusammengezimmert und an den Seitenrändern mit Holzpflöcken versehen, mit welchen die Ränder des Polsters, auf welchem das Bein ruht, gegen dasselbe angedrängt werden.

Fig. 254.

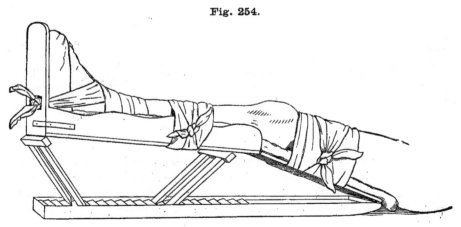

Doppeltgeneigte Ebene.

Befindet sich eine Wunde an der Rückseite des Gliedes, so sägt man an dieser Stelle ein Stück aus dem Brette heraus (Fig. 256). Zur Stütze des Fusses dienen zwei längere Holzpflöcke, zwischen welche man eine Binde in Achtertouren ausspannt.

Durch D o b s o n's **Holzgestell** (Fig. 257), welches in der Kniegegend unter die Matratze geschoben wird, lässt sich ein zweckmässiges planum inclinatum duplex für beide Beine herstellen.

Fig. 255.

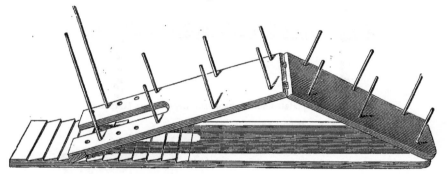

Fig. 256

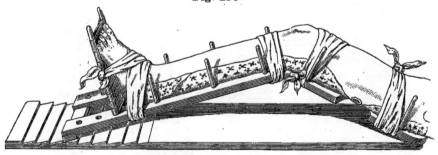

Doppeltgeneigte Ebene nach von Esmarch.

Die **Spreizlade** nach v o n R e n z (Fig. 258) eignet sich besonders für solche Fälle von complicirten Fracturen des Oberschenkels, bei denen das obere Bruchstück sich in starker Abductionsstellung befindet. Da die Lade von jedem Tischler leicht aus Brettern zusammengezimmert werden kann, so dürfte sie von Werth sein für die Praxis in kleinen Orten, welche weit entfernt von den grossen Städten liegen und wo sich der Arzt selbst helfen muss. An den Stellen, wo sich Wunden befinden,

werden Klappen angebracht. Bei der Defaecation entfernt man
das runde Kissen, welches den Ausschnitt für die Dammgegend
verschliesst.

Fig. 257.

Stellbares Holzgestell nach Dobson zur Hebung der Matratze.

Fig. 258.

Spreizlade nach von Renz.

· Für complicirte Fracturen des Unterschenkels war vor der antiseptischen Zeit die von Heister in Deutschland eingeführte **Beinlade** nach Petit (Fig. 259) wohl am meisten in Gebrauch.

Fig. 259.

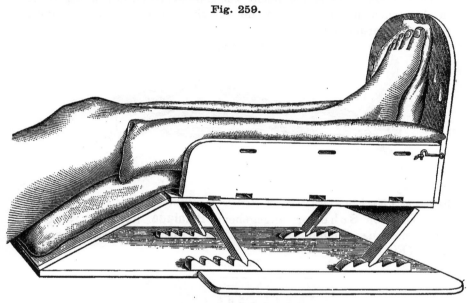

Beinlade nach Petit und Heister.

Das Bein wird darin mittelst der beweglichen Seitenklappen zwischen Spreukissen eingeklemmt; für den Verbandwechsel können beide Seiten des Unterschenkels nach einander zugänglich gemacht werden, ohne seine Lage zu verändern. Mittelst der beweglichen Stützen lässt sich die Winkelstellung des Kniegelenkes beliebig ändern.

In England wird für denselben Zweck mit Vorliebe die von Liston verbesserte **Schiene** nach Mac Intyre aus Eisenblech verwendet (Fig. 260). Dieselbe hat ein bewegliches, nach verschiedenen Richtungen stellbares Fussbrett, und durch eine Schraube an der Rückseite kann die Winkelstellung des Kniegelenkes sehr allmählig verändert werden. Das Querstück am unteren Ende giebt der Schiene eine sichere Lage. Das Oberschenkelstück lässt sich verlängern oder verkürzen.

Die **Stäbchen-Lade** nach Fialla (Fig. 261, 262), bestehend aus einer Reihe dünner Stäbe, die sich um eine gemeinsame Achse in jeder beliebigen Stellung durch eine Schraube zusammenpressen lassen, kann als Ersatz der Beinladen und der doppeltgeneigten Ebenen dienen, zumal sie leicht zusammenzulegen ist, wenig Raum in Anspruch nimmt und in die verschiedensten Winkelstellungen gebracht werden kann.

Fig. 260.

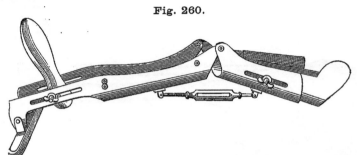

Schiene nach Mac Intyre, von Liston verbessert, für complicirte Fracturen des Unterschenkels.

Die von S c h e u e r angegebene **Beinlade** hat den Vortheil, dass sie aus einigen Holzlatten sehr rasch hergestellt werden kann (Fig. 263).

Fig. 261.

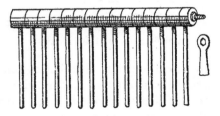

Fig. 262.

Stäbchen-Lade nach Fialla.

In neuerer Zeit werden wohl von den meisten Aerzten die flachgehöhlten geraden Schienen mit Fussstützen (s. Fig. 167) den Beinladen vorgezogen.

Fig. 263.

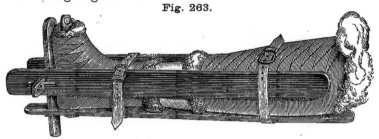

Beinlade nach Scheuer.

Fig. 264.

.Fig. 265.

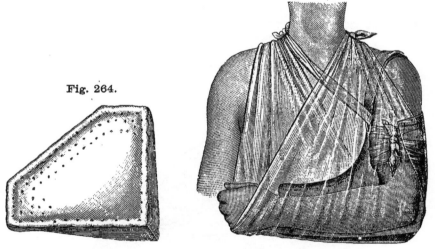

Armkissen nach Stromeyer.

Armkissen nach Stromeyer.
(Die Mitella ist durchscheinend gezeichnet.)

Bei complicirten Fracturen des Oberarmes und Verletzungen des Schultergelenkes ist das **Armkissen** nach Stromeyer sehr nützlich.

Dasselbe ist ein dreieckiges weichgepolstertes Rosshaarkissen mit abgestumpften Ecken, überzogen mit wasserdichtem Stoff (Fig. 264). Die eine abgestumpfte Ecke wird in die Achselhöhle gelegt und hinten und vorne mit Sicherheitsnadeln an einem Bindenstreifen befestigt, welcher über die gesunde Schulter geführt

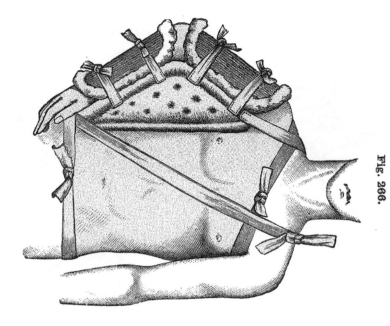

Fig. 266.

Triangelkissen nach Middeldorpf.

Fig. 267.

Triangel nach Middeldorpf.

ist. Der rechtwinklig gebeugte Arm wird darauf gelagert und sammt dem Kissen durch eine Mitella befestigt (Fig. 265).

Es sichert die ruhige Lage des Armes, indem es die Fortpflanzung der Athembewegungen auf die Fracturstelle verhindert.

Bei Brüchen des oberen Endes des Humerus mit hartnäckiger Abductionsstellung des oberen Fragmentes kann der ganze Oberarm in Abduction gestellt werden durch den **Triangel** nach M i d d e l d o r p f, ein dreieckiges Keilkissen (Fig. 266) oder eine aus drei Brettern zusammengezimmerte doppeltgeneigte Ebene (Fig. 267), deren längste Seite am Rumpfe durch Gurten oder Tücher befestigt wird, während der im stumpfen Winkel gebeugte Arm auf den beiden kurzen Seiten gelagert und festgebunden wird. Sehr zweckmässig lässt sich dieses Dreieck auch aus Drahtschienen herstellen. Da wegen der abhängigen Lage des Armes leicht Oedem entsteht, so muss der ganze Arm sehr sorgfältig von unten auf eingewickelt werden.

Fig. 268.

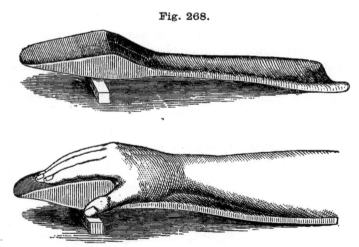

Holzschiene nach Lister für Resection des Handgelenks.

Die mit Leder überzogene **Holzschiene** nach L i s t e r (Fig. 268) für die R e s e c t i o n d e s H a n d g e l e n k s dient zur bequemen Lagerung der Hand und der Finger während der Nachbehandlung, wenn häufigere Bewegungen der Finger nothwendig werden. Durch die zahlreichen oben genannten Handschienen ist sie indess fast entbehrlich geworden, wie ja überhaupt die heutige Chirurgie,

namentlich, wenn es sich um verwundete Glieder handelt, alle
diese Lagerungsapparate kaum noch anwendet und sich mit den
reinlicheren neueren Schienen begnügt. Für ganz bestimmte lang-
wierige Fälle mögen sie aber doch auch heute noch bequem sein.

Die Zugverbände
(Extensions-, Distractionsverbände),

welche dauernd eine ziehende Kraft an einem Körpertheile ent-
falten, werden mit grossem Nutzen vielfach angewendet:

1. zur Beseitigung grosser Verschiebungen bei einfachen
   und complicirten Knochenbrüchen;
2. zur Aufhebung krankhafter Muskelcontracturen
   und des dadurch vermehrten Druckes auf erkrankte Knochen
   und Gelenke, und während der Nachbehandlung einiger
   Resectionen;
3. zur Beseitigung bezw. Dehnung von Verkrümmungen.

Zu den unvollkommenen, aber einfachen und als Nothverband
für den Transport immerhin brauchbaren Zugvorrichtungen gehört
die **Holzschiene** für Oberschenkelbrüche nach Desault-
Liston (Fig. 269) mit dem von Haynes Walton ver-
besserten unteren Ende (Fig. 269 a), an welchem der Fuss durch
ein Tuch befestigt wird, während ein
zweites, über den Damm geführtes Tuch
den Gegenzug vermittelt. Durch ein drittes *a*
Tuch (Gürteltuch) wird das obere Ende

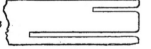

Fig. 269.

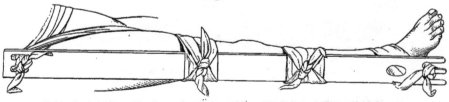

Extensionsschiene für den gebrochenen Oberschenkel nach Desault-Liston.

der Schiene am Becken, durch ein viertes und fünftes werden
Oberschenkel und Unterschenkel seitlich an der Schiene befestigt.
Aehnlich ist die **Schiene für Knöchelbrüche** nach Dupuytren,
welche, mit einem dicken Polster versehen, seitlich am Unter-

schenkel befestigt wird, während der Fuss durch Tücher oder Binden am unteren Ende so angebunden wird, dass die gebrochenen Knochenenden von einander abgehebelt werden (Fig. 270).

Fig. 270.

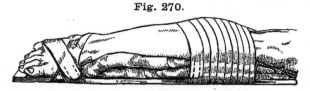

Knöchelverband nach Dupuytren.

Viel besser jedoch eignet sich zu Zugverbänden die Anwendung von Gewichten und elastischen Zügen. Um mit diesen eine sichere Wirkung zu erzielen, ist es nothwendig, durch zweckmässige Vertheilung der Anheftungspunkte über eine grosse Hautfläche den dauernden Zug für den Kranken erträglich zu machen. Dieses hat Crosby mit seiner **Heftpflasteransa** erreicht. Da die Methode vorzugsweise und am häufigsten bei Knochenbrüchen des Oberschenkels angewendet wird, so mag hier für die

Zugverbände mit Gewichten

der **Streckverband für das Bein** als Muster dienen.

Crosby's **Heftpflasteransa** besteht aus einem starken breiten Heftpflasterstreifen (auf Segeltuch gestrichen), der auf beiden Seiten des Beines entlang bis aur Bruchstelle am Oberschenkel

Fig. 271.

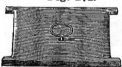

Fussbrett.

hinauf angelegt wird. Er drängt ein kleines, mit einem Ringe versehenes Fussbrett (Fig. 271) gegen den hinteren Theil der Fusssohle und wird durch einen zweiten Heftpflasterstreifen, der in Schlangentouren das Bein umkreist, an mehreren Stellen fest angedrückt (Fig. 272).

Fig. 272.

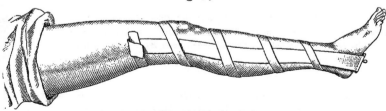

Anlegung der Heftpflasterstreifen.

Mit einer Cambricbinde wird dann das ganze Bein von der Fussspitze an fest eingewickelt bis nahe an die oberen Enden des ersten Heftpflasterstreifens, die über die letzte Bindentour zurückgeschlagen werden (Fig. 273).

Fig. 273.

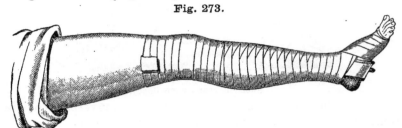

Befestigung der Heftpflasterstreifen.

Nun befestigt man mittelst eines Strickes, den man über Rollen laufen lässt, ein Gewicht an dem Ringe des Fussbrettchens, wodurch das Bein gegen das untere Ende des Bettes hingezogen wird. Die Belastung durch die Gewichte muss ganz allmählig geschehen; am besten erst nach 10—12 Stunden, damit das Heftpflaster fest genug mit der Haut verkleben kann.

Fig. 274.

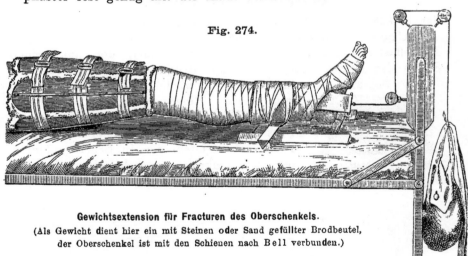

Gewichtsextension für Fracturen des Oberschenkels.
(Als Gewicht dient hier ein mit Steinen oder Sand gefüllter Brodbeutel,
der Oberschenkel ist mit den Schienen nach Bell verbunden.)

Liesse man nun den Unterschenkel ohne weitere Unterstützung, so würde er in die Matratze einsinken und durch die Reibung würde die Wirkung des Gewichtes ganz oder theilweise aufgehoben werden. Auch würden durch seitliche Schwankungen des Fusses die Knochenfragmente eine Rotation erleiden.

Um beides zu verhüten, kann man den Unterschenkel auf den **Schlittenapparat** von Volkmann (Fig. 275) lagern, eine kurze

Fig. 275.

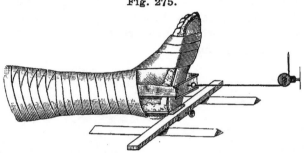

Schlittenapparat (schleifendes Fussbrett) nach von Volkmann.

eiserne, mit einem Hackenausschnitt versehene Hohlschiene, an der ein Fussbrett befestigt ist und unter demselben eine schmale Querlatte, welche auf zwei glatten dreikantigen Holzlatten ruht und schleift.

In Ermangelung desselben kann man ein prismatisches Querholz mittelst einer Gipsbinde, die auch um den Fuss geführt wird, an der Rückseite des Unterschenkels befestigen und dieses auf den beiden Holzprismen, welche durch Eisendrähte parallel mit einander verbunden sind, schleifen lassen (Fig. 274). Meistens sind aber die Blechschienen nach v. Volkmann mit solchen Querhölzern versehen.

Bei manchen Kranken erzeugt das gewöhnliche Heftpflaster lästiges Jucken auf der Haut und Eczem; daher ist es besser, „nicht reizendes Heftpflaster", z. B. das zwar theure, aber vorzüglich klebende Kautschukpflaster oder den Zinkpflastermull zu verwenden. In Fällen aber, wo auch dieses nicht gut vertragen wird, oder wo man überhaupt keine Klebestoffe anwenden kann, muss man Ersatz zu schaffen suchen. Sehr gut lässt sich das Spreizbrettchen durch zwei nasse Binden befestigen, jede von der doppelten Länge des ganzen Beines, in deren Mitte ein kleiner Schlitz für den Ring des Fussbrettchens geschnitten wird: Dann hängen an demselben vier lange Enden, von denen je zwei nach vorne und zwei nach hinten in Schlangentouren um das

12*

Glied gewickelt werden (Fig. 276). Wickelt man darüber sorgfältig noch eine trockene Binde bis zur Bruchstelle, so kann man
wochenlang .einen beträchtlichen Zug an dem Brettchen ausüben,
ohne dass die Binden abgleiten; hat man etwas Kleister. oder
Mehl zur Hand, só lässt sich durch Bestreichen mit demselben
die Befestigung noch sicherer machen. Durch Vernähen · oder
Feststecken der einzelnen Bindengänge mit Nadeln lässt sich
ebenfalls bei einer gewöhnlichen Bindeneinwicklung eine fest-
sitzende Umhüllung erzeugen.

Fig. 276.

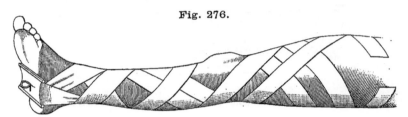

Befestigung des Fussbrettchens durch nasse Binden.

Auch die Gitterhülsen aus Palmblattfasern (Fingerfänger,
Mädchenfänger), die beim Anziehen enger werden und sich dann
nicht vom Gliede abstreifen lassen, können im Nothfall für kleinere
Zugverbände als Ersatz des Heftpflasters gebraucht werden. Eine
auf der blossen Haut angelegte Gipsbinde hält zwar auch, ist
aber weniger zu empfehlen.

Die **Belastung** durch angehängte Gewichte beträgt etwa
zwischen 2—12 kg; für die meisten Fälle genügen 5—8 kg.
Sehr kräftige Muskeln freilich können manchmal überhaupt nicht
durch Gewichtszug bewältigt werden.

Der **Gegenzug** (Contraextension) wird vermittelt durch
einen über den Damm und die Leistenbeuge geführten gepolsterten
Gurt oder einen mit Watte. umwickelten dicken Kautschukschlauch, der seitlich am Kopfende des Bettes befestigt wird und
verhindert, dass der· Kranke· durch die Gewichte im. Bett
heruntergezogen. wird; oder man benutzt dazu die Last des
Körpers, indem man das Fussende des Bettes durch Unterschieben
von Klötzen oder Mauersteinen höher stellt. Bei der Behandlung der Coxitis wird der· Gegenzug bei Abductionsstellung
des Beines auf der kranken, bei Adductionsstellung auf der
gesunden Seite angebracht. Nach Resection des Hüftgelenks

muss das Bein immer in starker Abduction im Streckverband liegen.

v. Dumreicher benutzte die Schwere des Beines als ziehende Kraft, indem er es' auf Rollen auf einer mit Schienen besetzten schiefen Ebene sanft abwärts gleiten liess (**Eisenbahn-apparat**). Viel einfacher und zweckmässiger ist der **Schleifbügel** nach König (Fig. 277), eine dorsale Schiene, die auf zwei seitlich angebrachten Eisenbügeln das Bein schweben lässt.

Fig. 277.

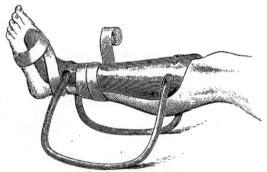

Schleifbügel nach König.

Um seitliche Bewegungen der Knochenfragmente zu verhindern, umgiebt man den Oberschenkel mit kurzen Schienen, z. B. denen von Gooch (Fig. 152) und Bell (Fig. 163).

Steht das obere Bruchstück erheblich nach vorne, oder sind die Kranken nicht reinlich, so dass bei der dauernden Rücken-lage der Verband arg beschmutzt wird, wie dies meist bei Ober-schenkelbrüchen kleiner Kinder der Fall ist, dann ist es zweckmässig, den Zugverband nicht wagerecht, sondern senk-recht wirken zu lassen: das Bein wird an einem Galgen gerade in die Höhe gezogen, wobei der Körper als Gegengewicht dient (Schede).

Für den **Gewichtszug am Oberarm** befestigt man die Heft-pflasterstreifen an der inneren und äusseren Seite des Oberarms so, dass das Spreizbrett unter dem Ellbogen des rechtwinklig gebeugten Arms sich befindet. Wird der Vorderarm durch eine Mitella unterstützt, so können an dem Brettchen die Gewichte an-gehängt werden, wobei der Kranke umhergehen darf. Oder: man befestigt den Arm auf einer der v. Volkmann'schen ähnlichen

Suspensionsschiene, an deren Ellbogentheil die Extensions-
schnur über eine Rolle herübergeleitet wird; dann muss der Kranke
aber das Bett hüten.

Zur **Distraction des Handgelenkes** bei Entzündungen, sowie
in der späteren Periode der Behandlung nach Resection desselben,
befestigt man an allen Fingern mittelst der Chirotheka (Fig. 98)
gleichlange Schlingen von Heftpflasterstreifen, durch welche ein
dünner Stab gesteckt wird. An diesen wird mittelst feiner Stricke
ein Gewicht gehängt, welches über eine Rolle läuft. Die Contraextension lässt sich durch eine grössere Heftpflasteransa bewirken,
welche auf beiden Flächen des Vorderarmes aufgeklebt und durch
einen Strick mit Kautschukring an der oberen Bettwand befestigt
ist. Der Arm ruht dabei auf einer schiefen Ebene (Fig. 278).

Fig. 278.

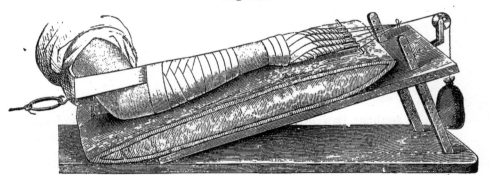

Gewichtsdistraction des Handgelenks.

Gewichtsverbände am Rumpfe werden hauptsächlich bei Erkrankungen oder Verbiegungen der Wirbelknochen angewendet
und verlangen zusammengesetzte Vorkehrungen; unter den gerade
hierbei so zahlreichen Apparaten mögen nur kurz folgende besonders
typische angeführt werden:

Der **Zugverband für die Halswirbelsäule** nach v. Volkmann bei Spondylitis (Fig. 279). Der Kopf wird in der
Schwinge von Glisson, welche Kinn und Hinterhaupt umfasst,
in einem eisernen Bügel durch einen Gewichtszug, der am Kopfende des Bettes angebracht ist, vom Rumpfe in wagerechter Lage
abgezogen. Zu stärkerer Distraction der Wirbelsäule bringt man
nöthigenfalls noch an beiden Beinen Zugverbände an. Statt der

Gewichte kann man die Körperschwere als Zug wirken lassen,
indem man das Kopfende des Bettes entsprechend höher stellt.
Die Glisson'sche Schwebe lässt sich übrigens durch zwei Heft-
pflasterschlingen, welche, um Kinn und Hinterhaupt gelegt, über
dem Kopf sich vereinigen und durch ein Querholz auseinander
gehälten werden, leicht ersetzen.

Fig. 279.

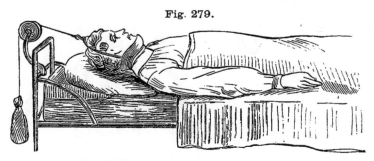

Zugverband für die Halswirbelsäule nach v. Volkmann.

In der Glisson'schen Schwinge kann man auch nach
Sayre einen Zug auf die scoliotische
Wirbelsäule ausüben, indem sich der Kranke
selbst mit beiden Armen durch einen Flaschenzug so weit über dem Fussboden in die Höhe
zieht, dass nur die Fussspitzen den Boden
berühren, die Last des Körpers aber als
ziehende Kraft wirkt (Fig. 280). In dieser
Stellung, in der die Wirbelsäule möglichst
gestreckt ist, legt man in geeigneten Fällen
auch einen erhärtenden Verband (Gips-,
Filzcorsett) an.

Fig. 280.

Erträglicher und wirksamer ist der
Zug, wenn man der Glisson'schen
Schwinge noch zwei Achselzügel hinzufügt
(Fig. 281) und nun durch Hochziehen
des Bügels den ganzen oberen Abschnitt
der Wirbelsäule so hebt (Fig. 282), dass
sich die Verkrümmung ausgleichen kann.
Diese Hängeübungen werden täglich mit
immer längerer Zeitdauer wiederholt.

Extension bei Scoliose.

Fig. 281.

Fig. 282.

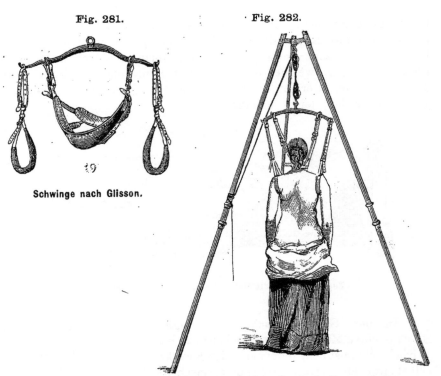

Schwinge nach Glisson.

Extensionsvorrichtung für die Scoliose nach Sayre.

Fig. 283.

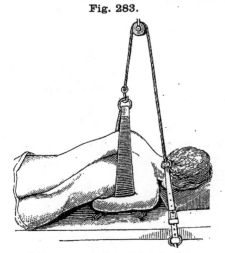

Seitenzug nach Barwell bei Scoliose.

Scoliotische Verkrümmungen lassen sich aber auch durch seitlichen Zug vorübergehend beseitigen. Barwell legt die Kranken mit der hervortretenden Seite in eine Gurtschlinge, die, durch Gewichte angezogen, die Verbiegung in die normale Lage hineindrückt (Fig. 283). Auch diese Stellung eignet sich zum Anlegen von erhärtenden Corsetts „in Uebercorrection" (Petersen).

Verbände mit elastischem Zug und mit Heftpflaster.

Elastische Züge sind zwar durch ihre lebendige Kraft sehr wirksam, doch ist ihre Wirkung weniger leicht abzustufen, als bei Anwendung von Gewichten; vor diesen haben sie wieder den Vorzug, leichter und bequemer zu sein.

Zur elastischen Extension benutzt man entweder starke Kautschukringe, wie sie überall im Handel zu haben sind, oder in Ermangelung derselben ein Stück Kautschukschlauch,

Fig. 284.

Holzknopf mit Haken.

in dessen Enden man kleine gekehlte, mit Haken versehene Holzknöpfe einbindet (Fig. 284, 285). Weniger sicher ist das einfache Zusammenknoten der Enden, da sich diese Knoten leicht aufziehen.

[**Fig. 285.**

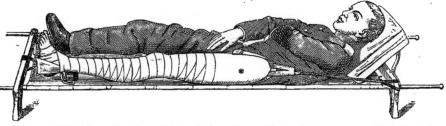

Kautschukschlauch mit Hakenknöpfen.

Mit solchem elastischen Zug kann man Verwundete bei länger dauerndem Transport schon auf der Tragbahre versehen, indem man das sorgfältig eingewickelte Bein mit einem **Kautschukring** am Fussende der Bahre befestigt und als Gegenzug den Gürtel; oder im Nothfalle auch das in der inneren und äusseren Naht bis zur Dammgegend aufgeschnittene und aufgerollte Hosenbein des Kranken benutzt, welches mit einem elastischen Schlauch oder Hosenträger am Kopfende der Bahre befestigt wird (Fig. 286).

Fig. 286.

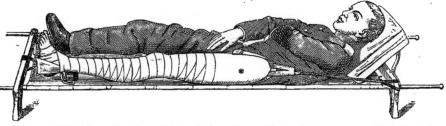

Tragbahren-Extensions-Verband für den Transport von Schussfracturen des Oberschenkels nach von Esmarch.

Für denselben Zweck lässt sich auch die **zerlegbare Holzschiene** (Fig. 151) verwenden, von der fünf Stücke in einander

Fig. 287.

Abnehmbarer Haken für die zerlegbare Extensionsschiene.

gesteckt werden. An dem untersten Stücke wird beim Gebrauch ein eiserner Haken (Fig. 287) eingesetzt, an dem der Extensionsring befestigt wird. An dem obersten Stücke befinden sich zwei Einschnitte, an welchen sowohl der Beckengurt als auch mittelst des zweiten Kautschukringes der Dammgürtel befestigt werden müssen. Will man das Beinkleid des Verwundeten nicht als

Fig. 288.

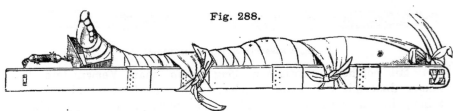

Zerlegbare Schiene für elastische Extension des Oberschenkels nach von Esmarch.

Contraextensionsgürtel benutzen, so verwendet man es, schmal zusammengelegt, als Polsterung zwischen Schiene und Bein (Fig. 288). Die zerlegte Schiene mit dem Haken und zwei Kautschukringen nimmt sehr wenig Platz ein und lässt sich leicht verpacken.

Ebenso lässt sich das Handgelenk mit sehr wirksamem elastischem Zug versehen, wenn man die Hand und den Vorderarm nach der oben beschriebenen Einwicklung (Fig. 278) auf ein

Fig. 289.

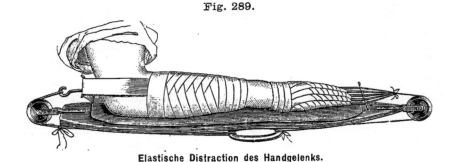

Elastische Distraction des Handgelenks.

vorne und hinten mit Rollen versehenes Handbrett lagert und die Zugschnüre unter dem Brett durch einen Kautschukring straff anspannt (Fig. 289). Der Kranke kann mit diesem Verband umhergehen.

Auch der **Heftpflasterverband** nach S a y r e für S c h l ü s s e l - b e i n b r ü c h e ist ein Distractionsverband, da er die übereinander geschobenen Fragmente des Knochens auseinanderzieht, indem er die Schulter nach aussen, hinten und oben drängt.

Man schneidet aus starkem, auf Segeltuch gestrichenem Heft- pflaster zwei 8—10 cm breite Streifen, den einen so lang, dass er rund um den Oberarm und auch noch rund um den ganzen Oberkörper reicht, den anderen aber so lang, dass er von der gesunden Schulter über den Ellbogen der kranken Seite und von dort wieder auf die gesunde Schulter geführt werden kann.

Der erste Streifen wird unterhalb des Achselrandes um den Oberarm gelegt und an der hinteren Seite desselben zusammen- genäht zu einer Schlinge, welche so weit ist, dass hinten ein Theil des Oberarmes frei bleibt, damit keine Einschnürung ent- steht. Damit zieht man den Arm nach unten und rückwärts, bis durch die Dehnung des M. pectoralis major das (innere) Sternal-Fragment der Clavicula hinreichend nach abwärts gezogen ist. In dieser Stellung wird der Arm dadurch fixirt, dass man den Heftpflasterstreifen rund um den Körper führt und das Ende hinten mit dem Streifen zu- sammenheftet (Fig. 290).

In die Mitte des zweiten Streifens wird ein kleiner Längs- schnitt gemacht, welcher die Spitze des Ellbogens aufnehmen soll. Dann lässt man den Vorder- arm im spitzen Winkel gebeugt auf die Brust legen, und während ein Gehülfe den Ellbogen nach vorne und einwärts drängt (wo- durch der Bruch völlig einge- richtet wird), fixirt man den Arm in dieser Stellung durch den zweiten Streifen, dessen Mitte

Fig. 290.

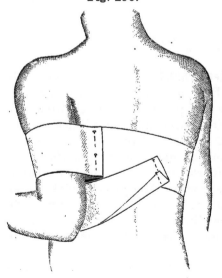

Heftpflasterverband nach Sayre. Erster Streifen.

den Ellbogen aufnimmt, während beide Enden über Brust und Rücken nach der gesunden Schulter geführt werden, wo sie sich kreuzen und mit einigen Nadeln zusammengeheftet werden (Fig. 291 und 292). Bei lebhaften Kindern legt man darüber noch einen Desault'schen Verband mit Stärkebinden.

Fig. 291.   Fig. 292.

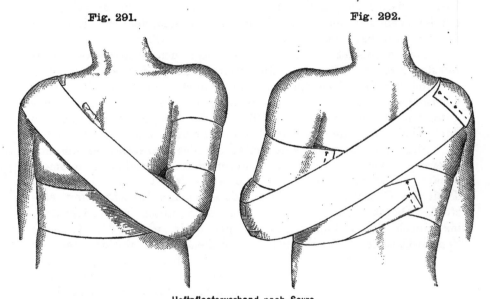

Heftpflasterverband nach Sayre.
Zweiter Streifen.

Aehnlich ist der **Heftpflasterverband** von Landerer für Schlüsselbeinfracturen: Ein breiter Heftpflasterstreifen, der an einem Ende mehrfach der Länge nach eingeschnitten ist, wird mit einem ebenso langen Streifen durch ein breites Stück starker Gummibinde vernäht (Fig. 293). Dann klebt man den ersten Streifen so auf die kranke Schulter, dass seine fingerförmigen Fortsätze nach vorn sehen, führt ihn nach hinten schräg über den Rücken und klebt das zweite Heftpflasterstück unter starker Dehnung stark angespannt wie einen Gürtel um die gesunde Seite herum fest. Die elastische Binde zieht dann die kranke Schulter nach hinten und wirkt also auseinanderziehend auf die Bruchstücke.

In derselben Weise legt Landerer auch seinen Zug-verband für das Genu valgum an: Zwei breite Heftpflaster-

stücke umgeben den Oberschenkel und Unterschenkel im ganzen
Umfange; an der Innenseite des Knies wird zwischen ihnen ein
breites elastisches Band straff ausgespannt, oder man klebt in die
Knieenden der Heftpflasterstücke Querhölzer ein, die durch Kaut-
schukringe allmählig mehr und mehr zusammengezogen werden.
Dasselbe lässt sich durch eine Schnallenvorrichtung in dem elastischen
Zwischenstück erreichen.

Fig. 293.

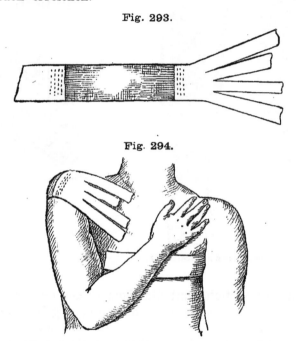

Fig. 294.

Heftpflasterverband mit elastischem Zug nach Landerer.

Wirksamer aber ist der **Zugverband für das Genu valgum** nach
Miculicz (Fig. 295): Das ganze Bein wird mit einem Gipsbindenverband umgeben, in dessen vordere und hintere Seite eine Eisenschiene
mit Charnier so eingegipst wird, dass das Charnier der Gegend des
Kniegelenks entspricht; an der inneren Seite der Gipshülse wird
am Ober- und Unterschenkel je ein Haken mit Gipsbinden befestigt;
nach Erhärtung des Verbandes schneidet man in der Kniegegend
einen Keil aus der Hülse mit der Basis nach innen, so dass dadurch zwei im Charnier der Schienen seitlich bewegliche Gips-
verbände entstehen; durch einen zwischen den beiden Haken

ausgespannten elastischen Zug wird das Bein allmählig gerade
gezogen.

Fig. 295.

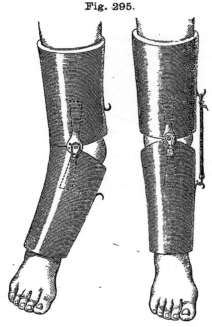

Fig. 296.

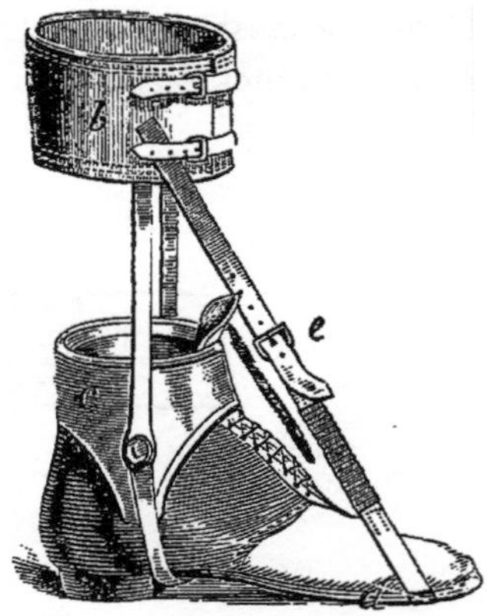

Klumpfussstiefel nach Bauer.

Zugverband für das Genu valgum nach Miculicz.

Der **Klumpfussstiefel mit elastischem Zug** (Fig. 296), welcher
zur Nachbehandlung umgestellter Klumpfüsse gebraucht wird, besteht im Wesentlichen aus einem festen Schnürstiefel mit seitlichen Beinstangen, von deren oberen Ende zur Stiefelspitze ein
elastischer Zug geführt wird, welcher die atrophisch gewordenen
Muskeln künstlich ersetzen soll. Nach diesen Grundsätzen lässt
er sich für jeden einzelnen Fall entsprechend umändern.

In Verbindung mit mehr oder weniger zusammengesetzten Apparaten hat man schliesslich auch durch **Schraubenschienen** Extensions-
vorrichtungen hergestellt; als Beispiele mögen hier nur genannt sein:

Der **Distractionsverband** nach S a y r e für das **Kniegelenk**
(Fig. 297): Ober- und Unterschenkel werden mit Heftpflasterstreifen nach Art der S c u l t e t'schen Binden eingewickelt und

diese beiden getrennten Verbände durch eine an ihren äussersten Enden beiderseits angebrachte eiserne Schiene auseinandergeschraubt.

Der **tragbare Distractionsapparat** für die entzündete **Hals-wirbelsäule** nach Sayre (Minerva, Jury mast) ist ein eiserner Bügel, der in dem Rückentheil eines Gipscorsetts befestigt wird und den Kopf in einer Glisson'schen Schwebe trägt; an einer im Corsett eingegipsten Eisenblechrinne kann diese Stange durch eine Schraube höher oder niedriger gestellt werden.

Fig. 297

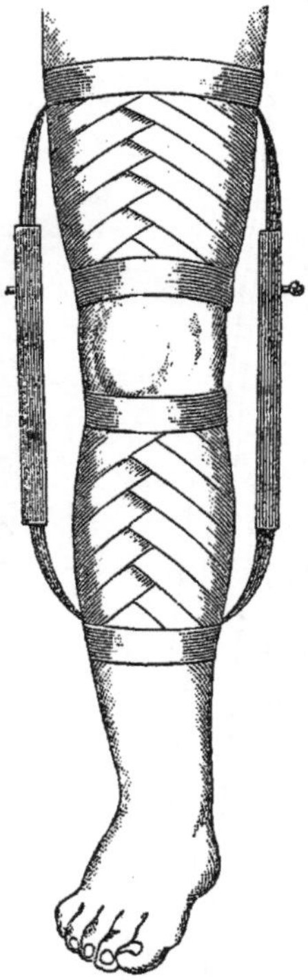

Distractionsverband nach
Sayre für das Knie.

Fig. 298.

Jury-mast nach
Sayre.

Der **Extensionsapparat** nach Taylor für die ambulante Behandlung der Coxitis (Fig. 299) besteht aus einer starken Stahlröhre von der Länge des Beines, mit einem Beckengürtel am oberen und einem Fusstheil am unteren Ende. Durch eine Schraube kann die Schiene verlängert und dadurch das in ihr befestigte

Bein gestreckt werden. Die Befestigung geschieht durch einen
fünfköpfigen Heftpflasterstreifen so, dass dessen breites Ende nach
unten etwas über dem inneren Knöchel zu liegen kommt (Fig. 300).
Darüber wird mit einer Binde das ganze Bein eingewickelt. Ist
der Apparat angelegt, so reitet oder sitzt der Kranke auf den
Dammgurten; der Fuss hängt in der Luft und das kranke Gelenk

Fig. 299. Fig. 300.

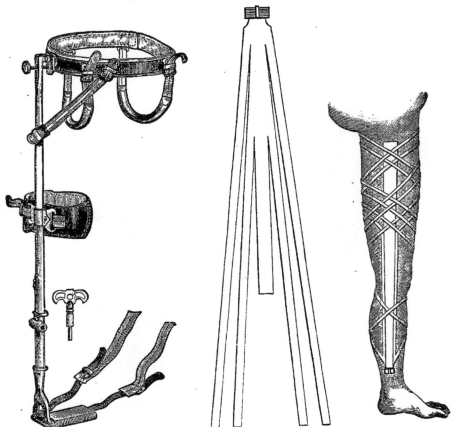

Extensionsschiene nach Taylor.   Befestigung der Heftpflasterstreifen.

ist dadurch von dem Körpergewicht entlastet. Dieser ursprüngliche
Apparat ist zahlreichen Verbesserungen unterworfen und vielfach
umgeändert worden (Sàyre, Schaffer, Whitehead, u. A.).

Nothverbände.

Wenn es an den gewöhnlichen bisher beschriebenen Verbandgegenständen fehlt, um Wunden zu verbinden, Blutungen zu stillen,
oder Knochenbrüche zu schienen, dann ist es Aufgabe des Arztes,
oder, wenn dieser fehlt, des Nothhelfers (Krankenträgers, Samariters),
mit dem, was gerade zur Hand ist, schnell zweckmässige
Verbände herzustellen. Solche plötzlichen Unglücksfälle ereignen
sich häufig genug im Frieden (sollen sich doch allein in Preussen
in einem Jahr weit über 100,000 schwere Verletzungen zutragen);
hauptsächlich aber ist die Kunst, schnell und gut zu improvisiren,
für den Krieg nothwendig, wenn nach den grossen Schlachten
bei den mörderischen Zerstörungen, welche die neuesten Schusswaffen anrichten und bei der Unzahl von Verwundungen, selbst
der grösste Vorrath von Verbandmaterial erschöpft, und die sonst
genügende Zahl geschulter Personen für den Augenblick wenigstens
unzureichend wird.

Für die **Wundbehandlung** gilt als oberster Grundsatz, die
Wunden nicht unnöthiger Weise namentlich nicht mit unreinen (nicht aseptischen) Händen zu berühren, alles vorwitzige
Untersuchen, Sondiren, Entfernen von Fremdkörpern zu unterlassen,
auch keinen Verband aufzulegen, von dem man nicht sicher über-
zeugt ist, dass er chirurgisch rein ist, denn das Freilassen
von jeglichem Verbande (die offene Wundbehandlung), schadet
der Wunde weniger, als das Bedecken mit unreinen Stoffen. Auch
werden kleinere Blutungen viel leichter unter dem sich an der Luft
bildenden Blutschorfe zum Stehen kommen. In der Nähe von be-
wohnten Orten, in Häusern, kann man sich indess mit geringen
Mitteln einen aseptischen Verband herstellen, wenn man Wasser
kurze Zeit aufkocht, die Wunde damit von Unreinigkeiten säubert
und mit einem reinen (gewaschenen und geplätteten) Tuch (Schnupftuch) bedeckt und diesen Verband mit einem anderen Tuche befestigt. Sind keine aseptischen Verbandstoffe zur Hand, so erhält
man solche in sehr einfacher Weise durch Auskochen von
Gazestücken oder dergl.

Wundduschen zur ergiebigen Ausspülung der Wunde lassen sich
herstellen durch oben offene Gefässe (Töpfe), in die man das mit
einem Stein oder dergl. beschwerte Ende eines Gummischlauches
versenkt und an dem anderen Ende ansaugt; oder, indem man

eine Glasdusche nach Fig. 28 herstellt; auch Trichter und Kannen lassen sich hierzu verwerthen.

Als Binden kann man verwenden: Streifen aus Tischtüchern, Laken und Leibwäsche: die Tuchverbände lassen sich mit einer Serviette. oder einem Schnupftuch herstellen; ein Armtragetuch improvisirt man in Ermangelung von Tüchern. durch

Fig. 301.   Fig. 302.   Fig. 303.

Rockschoossmitella..   Aermelmitella.   Nadelmitella.

einen Rockschoss, aufgeschnittenen Rock- oder Hemdärmel, oder heftet den unversehrten Aermel mit Sicherheitsnadeln an der Brust fest (Fig. 301—303). Frauen legen den Arm in die über die Schulter hinaufgeschlagene Schürze.

Wenn **Blutungen** nicht durch einen fest angelegten Verband zu stillen sind, so giebt man dem Gliede zunächst eine erhöhte Lage, nöthigenfalls muss die blutende Ader oberhalb der Wunde durch Fingerdruck oder eine schnell hergestellte Aderpresse zugedrückt werden; bei schweren Verletzungen der grossen Gefässe umschnürt man das ganze Glied zwischen Wunde und Herz mit einem elastischen Schlauch, Hosenträger oder einer nachher angefeuchteten Binde.

Sind **Knochen gebrochen,** so ist neben möglichster Schonung und Vorsicht bei Berührungen und Bewegungen des Verletzten für schnelle Herstellung von Schienen zu sorgen.

Fig. 304.

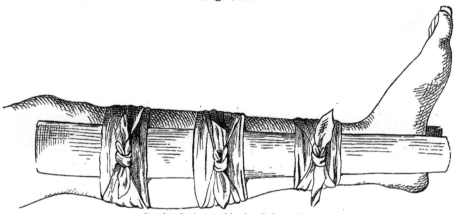

Provisorisch geschienter Beinbruch.

Als **Nothschienen** kann man gebrauchen

a. Holzschienen: Lineale, Latten, Stangen, Bretter (Fig. 304), Spähne, Blumentopfgitter (Fig. 305), Rolldecken, Bricken (wie die Spaltschiene nach Gooch, Fig. 152). Brauchbar sind auch Zweige, die man zu Bündeln zusammenbindet (Fig. 306) oder glatt neben einander gelegt durch übergebundene Querhölzer (Fig. 307) oder mit Bindfaden kettenartig beweglich befestigt (Fig. 308). Ebenso kann man die Rinden gerade gewachsener Bäume (Weiden, Buchen) oder die getrockneten Blätter der Bananen (Pisang, in welchen die Cigarren verpackt werden) oder dünnes, biegsames Fournierholz benutzen. Auch der Fig. 154 abgebildete schneidbare Schienenstoff ist leicht herzustellen; in Ermangelung eines Klebemittels näht man Späne, Zweige u. dergl. auf dem Stoff fest.

b. Strohschienen. Möglichst gut erhaltene Strohhalme werden zu Bündeln zusammengebunden (Fig. 309). Zwei derselben wickelt man in beide Enden eines unter das Glied geschobenen Tuches soweit ein, dass sie beiderseits dem Gliede anliegen und mit

13*

Fig. 305.

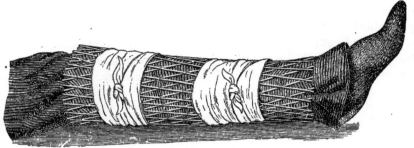

Blumentopfgitter als Schiene.

Fig. 306.

Zweigbündelschiene.

Fig. 307.

Platte Zweigschiene.

Fig. 308.

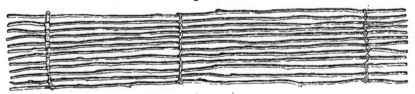

Kettenschiene aus Zweigen.

Fig. 309.

Strohschiene.

Fig. 310.

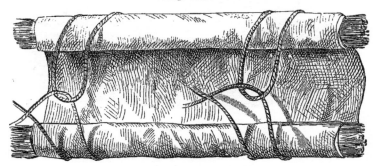

Strohlade.

Fig. 311.

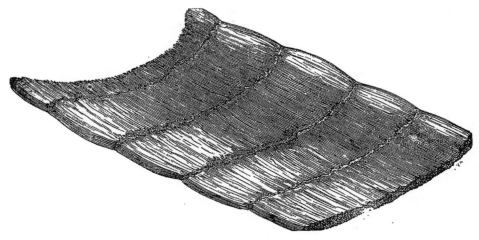

Strohmatte.

Stricken daran festgebunden werden können (Strohlade Fig. 310).
Auch kann man Stroh, Schilf oder Binsenhalme zu Matten zu-
sammennähen (von Beck) und damit entweder das Glied einhüllen oder aufgerollt Seitenschienen daraus herstellen (Fig. 311,
312). Ebensogut lassen sich auch die Fussmatten, Linoleum,
Läufer u. s. w. verwenden.

Fig. 312.

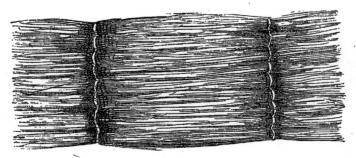

Binsenmatte.

c. Pappschienen sind überall leicht herzustellen nach den
Seite 128 angegebenen Modellen. In Ermangelung von Papptafeln
nimmt man alte Buchdeckel, Mappen, Schachteln, mehrfach übereinander geklebte Zeitungen u. dergl.

d. Blech lässt sich mit einer starken Scheere in beliebigen
Formen rasch zu Schienen schneiden (Fig. 168, 169). Eine ganz
zweckmässige Lade ist. z. B. auch ein Stück Dachrinne.

Fig. 313.

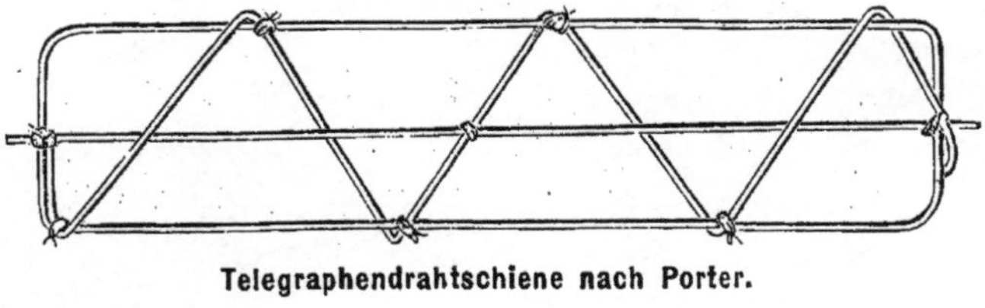

Telegraphendrahtschiene nach Porter.

e. Drahtschienen fertigt man aus starkem Draht von
Zäunen, Gehegen oder dem käuflichen Drahtgittergewebe. Von
besonderer Wichtigkeit für den Krieg ist die Benutzung des
Telegraphendrahtes von den während des Gefechtes zerstörten

Telegraphenleitungen. Mit einer starken Biegezange und einer
Feile lassen sich bei geringer Uebung einfachere Schienen schnell
anfertigen, sie sind leicht, reinlich und durchsichtig. Fig. 313
zeigt eine leicht herzustellende Schiene nach Porter. Fig. 314
einen Schutzkorb für verwundete Glieder. Weniger leicht sind die
übrigen Schienen aus Draht nachzubilden (s. Fig. 176, 177).

Fig. 314.

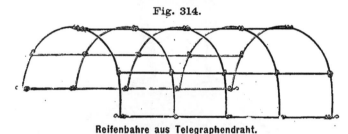

Reifenbahre aus Telegraphendraht.

f. Gegenstände, welche der Verwundete selbst bei sich hat,
geben mitunter auch sehr brauchbare Schienen:

Kleidungsstücke, z. B. Röcke, Hosen, Mäntel, Stiefel-
schäfte, lassen sich gut verwerthen. Einen Militärmantel rollt
man z. B. zu beiden Seiten auf und befestigt ihn am Gliede
durch den Gürtel oder ein Tuch (Fig. 315), die Aermel lassen sich

Fig. 315.

Mantelschiene.

mit Stroh, Moos oder Erde füllen und als Schienen verwenden.
Ein vorn in der Mitte der Länge nach aufgeschnittener Stiefel,
dessen Schaftleder um eine von aussen angelegte Zweigschiene

Fig. 316.

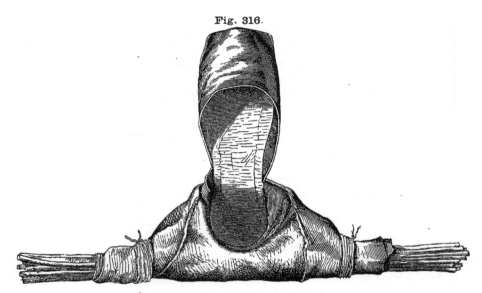

Aufgeschnittener Stiefel als Fusslade.

Fig. 317.

Schiene aus zwei zusammengesteckten Bajonetten.

Fig. 318.

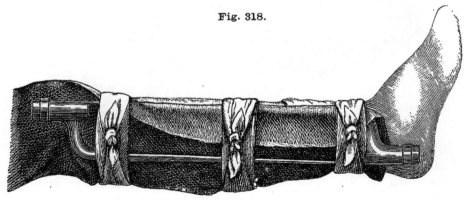

Bajonettschiene.

gewickelt wird, giebt eine F u s s l a d e, die wie das Volkmannsche T die Seitenbewegungen des verletzten Fusses verhindert (Fig. 316).

W a f f e n s t ü c k e, wie Seitengewehre, Faschinenmesser, Bajonette, Säbel, Scheiden, Gewehre, Ladestöcke, Lanzen, Leder, Filz von Sattelzeug, Radspeichen, Spazierstöcke, Regen- und Sonnen-

Fig. 319.

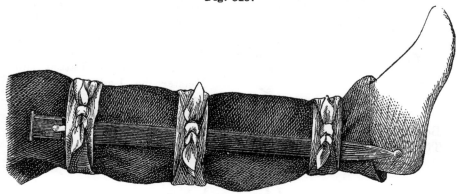

Degenscheide als Schiene.

Fig. 320.

Gewehr als Schiene verwendet.

schirme sind ohne Weiteres als Schienen zu benutzen (Fig. 317, 318, 319, 320).

g. Im äussersten Nothfalle, wenn garnichts zur Hand ist, benutzt man das gesunde Bein als Schiene für das verletzte und den Brustkorb für den erkrankten Arm. —

Oft fehlt es auch an T i s c h e n und zweckmässigen Lagerungs-apparaten, um Verbände anlegen zu können. Ausgezeichnet als Operations- und Verbandtisch ist das M i l i t ä r m o d e l l (Fig. 321), auf welchem durch eine Art doppelten Notenpultes zwei Mann zu gleicher Zeit versorgt werden könueu. Durch Bretter und Kissen ist diese Vorrichtung leicht auf jedem grossen gewöhnlichen Tisch angebracht. Lagerungsapparate und Schweben für verletzte Glieder lassen sich leicht durch Draht und Zeugstreifen herstellen (Fig. 322, 323). Eine doppelt geneigte Ebene entsteht durch zwei stumpfwinklig aneinander genagelte Latten, eine Heistersche Lade, wenn man das Bein auf einer ganz niedrigen Bank lagert, deren Beine entsprechend abgesägt sind. Durch mehrere dreieckige Tücher, die als Schlingen über einen Querbalken geleitet werden,

Fig. 321.

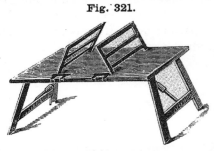

Operationstisch (Militärmodell).

Fig. 322.

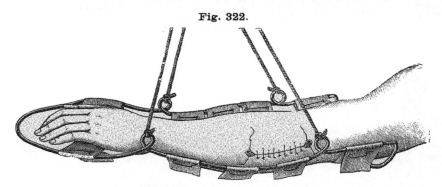

Drahtschwebe für den Arm nach von Volkmann.

Fig. 323.

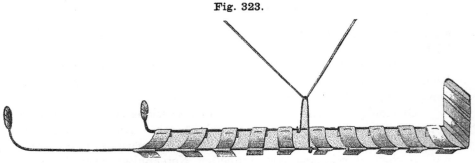

Drahtschwebe für das Bein nach von Bardeleben.

stellt man eine Beinschwebe dar. Noch einfacher erhält man eine solche, wenn man den Strumpf vorne aufschneidet, an seinen Rändern zwei Stäbe befestigt und diese an einem dickeren Stabe aufhängt

Fig. 324.

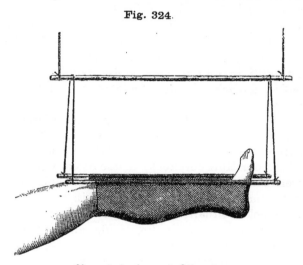

Strumpfschwebe nach Cubasch.

(Fig. 324). Von den sonstigen Lagerungsapparaten eignen sich zur schnellen Herstellung durch jeden Tischler namentlich Fig. 255, 257, 258, 263.

Antisepsis im Kriege.

Es ist eine dringende Forderung der Humanität, auch im Kriege allen Verwundeten den Schutz und die Wohlthat der antiseptischen Wundbehandlung angedeihen zu lassen.

Um dieser Forderung gerecht werden zu können, müssen nicht nur:

    a. alle Militärärzte mit der antiseptischen Wundbehandlung vollkommen vertraut und in der Anwendung derselben geübt sein, sondern auch

    b. das untere Sanitätspersonal (Lazarethgehülfen, Krankenträger) muss in den Grundsätzen der Antiseptik unterrichtet und in antiseptischen Hülfsleistungen ausgebildet sein;

    c. müssen nicht nur die Feldlazarethe und die Sanitätsdetachements, sondern auch die Medicinwagen der Truppen-

theile, die Verbandtornister und die Taschen der Lazareth-
gehülfen hinlänglich mit antiseptischem Verbandmaterial
ausgerüstet sein;

d. sollte auch jeder Soldat im Kriege ein Verbandzeug bei
sich tragen, mit welchem im Nothfalle provisorisch ein
aseptischer Schutzverband angelegt werden kann.

Diese Forderungen sind durch die Beilage zur **Kriegs-Sanitäts-
ordnung von 1886** in umfassender Weise erfüllt.

Es werden danach folgende Antiseptica und Verbandmittel in
Anwendung gezogen:

Carbol, Sublimat, Jodoform und die mit diesen Stoffen hergestellten Verbandstoffe: Carbolmull (s. S. 27), Sublimatmull
(s. S. 30), Jodoformmull 25% (s. S. 38), Carbol- und Sublimat-
wundwatte (wie der Mull bereitet). Diese Stoffe werden in grösseren
und kleineren Packeten durch Maschinen auf einen sehr geringen
Umfang zusammengepresst, umschnürt und in Papier gehüllt. (Die
grossen Pressstücke enthalten 1 Kilo, die kleinen 100 gr. Watte.)
Ausserdem: Sublimatcatgut, Sublimatseide, antiseptische Schwämme
und Tupfer, Moospappe, Holzwolle, 5 m lange Binden aus Cambric,
Mull, Flanell, Gaze, dreieckige Tücher u. s. w.

In den mit allem Nothwendigen reichlich ausgestatteten **Feld-
lazarethen** wird die Wundbehandlung und die Operationsweise
nicht wesentlich von den in grossen Kliniken auch im Frieden
geübten Regeln abweichen. Anders ist dies aber auf den **Truppen-
verbandplätzen** und auf dem **Schlachtfelde** selbst, wo bei dem
schnellen Wechsel der Truppenstellungen, bei der neueren, beweglichen
Kampfesart, bei dem weittragenden neuen Gewehr sehr häufig ein
Ortswechsel wird stattfinden müssen und auch namentlich durch
die Treffsicherheit der jetzigen Schusswaffen die Zahl der Verwundungen in kurzer Zeit so gross wird, dass die Aerzte allein
und das vorräthige Verbandmaterial bald unzureichend werden.

Hier, wo strenge Antiseptik nicht ausführbar ist, sollte
wenigstens der erste Grundsatz jeder Wundbehandlung: „**Nur nicht
schaden**", alles Handeln beherrschen.

Man unterlasse also jede Untersuchung der Wunde mit
Fingern oder Instrumenten, welche nicht chirurgisch rein
(aseptisch) sind.

Eine Ausnahme von dieser Regel machen unter Umständen
nur die lebensgefährlichen Blutungen, bei denen rasches Handeln
die Hauptsache ist.

Das Ausziehen von Kugeln ohne antiseptische Massregeln ist durchaus zu unterlassen. Ein in den Körper eingedrungenes Geschoss bildet an sich eine nur geringe Schädlichkeit. Viele Kugeln heilen ein, ohne nachhaltigen Schaden zu veranlassen.

Die Erfahrung lehrt, dass auch sehr schwere innere Verletzungen (der Knochen, Gelenke, Sehnen, Nerven, Lunge, des Herzens, des Gehirns etc.), welche die Kugel auf ihrem Wege hervorgebracht hat, heilen können ohne Eiterung, ohne Fieber, ohne accidentelle Wundkrankheiten, wenn keine Fäulnisserreger mit in die Wunde eingedrungen sind.

Dem Sanitätspersonal bleibt demnach in diesen Ambulanzen nur die Aufgabe:

1) provisorische Verbände anzulegen, d. h. die frischen Wunden reichlich mit antiseptischem Stoff zu bedecken, um sie vor dem Eindringen von Fäulnisskeimen zu schützen;

2) die verletzten Körpertheile ruhig zu stellen (Immobilisirung durch Tücher, Schienen u. s. w.);

3) die Verbundenen so rasch als möglich dorthin zu schicken, wo man im Stande ist, die Wunde streng antiseptisch zu behandeln.

Wenn sich nach Ankunft eines nur vorläufig verbundenen Verwundeten im Feldlazareth keine Symptome einstellen, welche eine innere Untersuchung der Wunde nothwendig machen (Fieber, Schmerzen, Blutung, Durchtritt von Wundsecret), so lasse man dieselbe unberührt und entferne nicht einmal den ersten Deckverband, denn viele Schusswunden können dann ohne Störungen des Wundverlaufs unter dem Schorf heilen.

Treten aber solche Erscheinungen auf, welche eine Untersuchung der Wunde nothwendig machen, dann muss sofort der Verband entfernt und eine energische antiseptische Behandlung der Wunde vorgenommen werden. Dazu gehört (ausser den grösseren Operationen, Amputationen, Resectionen etc., welche sich als nothwendig herausstellen) vor Allem eine ausgiebige Spaltung, Drainirung und gründliche Desinfection mit wirksamen antiseptischen Mitteln (als Sublimat, Jodoform, Chlorzink etc.) und darnach die Anlegung des antiseptischen Verbandes (s. Secundäre Antisepsis S. 66).

Die Krankenträger haben, wenn ein Verbandplatz in der Nähe ist, keine andere Aufgabe, als die Verwundeten so schonend wie möglich auf die Tragbahre zu lagern und schnell zum Verbandplatze hinzutragen.

Nur in den Fällen, wo ärztliche Hülfe nicht in der Nähe, oder keine Verbandstoffe mehr zu haben sind, sollen die Verbindzeuge, welche die Soldaten bei sich tragen, von den Verwundeten selbst, oder den Krankenträgern benutzt werden (namentlich bei kleineren Cavallerie-Abtheilungen).

Das Verbandpäckchen des Soldaten.

Nach der Kriegs-Sanitäts-Ordnung von 1886 soll im Kriege jeder Soldat ein Verbindezeug bei sich tragen, bestehend aus: zwei antiseptischen Mullcompressen, 40 cm lang und 20 cm breit, einer Cambricbinde 3 m lang, 5 cm breit, einer Sicherheitsnadel und einer Umhüllung von wasserdichtem Stoff von 28 cm Länge und 18 cm Breite.

Ueber die Zusammensetzung dieses Verbindezeuges, sowie über die Frage, ob es überhaupt zweckmässig sei, dem Soldaten ein solches mit ins Feld zu geben, herrschen unter den Militärärzten sehr verschiedene Ansichten. Manche halten dasselbe für ganz unnöthig.

Da ich aber von vielen erfahrenen Militärärzten gehört, dass nicht nur in den Feldzügen in fernen Ländern (im Boerenkrieg, im Ashanteekrieg, in Aegypten, im Kaukasus) die Aerzte beim Verbinden der Verwundeten oft ganz allein auf die Verbandpäckchen angewiesen waren, welche jeder Soldat bei sich trug, sondern dass auch in unserem letzten Kriege, namentlich bei der Reiterei, sehr oft keine anderen Verbandmittel zur Hand gewesen sind, als die, welche sich in den Taschen der Soldaten fanden, so bleibe ich meiner Ansicht treu, die Humanität verlange, dass jeder Soldat im Kriege ein zweckmässiges Verbandpäckchen bei sich trage, mit welchem seine Wunde, wenn anderes Verbandmaterial fehlt, antiseptisch verbunden werden könne. .

Seit vielen Jahren habe ich mich mit der Frage beschäftigt, wie das Verbindezeug des Soldaten am zweckmässigsten zusammengestellt und verpackt werden könne. Im Jahre 1869 gab ich eine kleine Schrift unter dem Titel: „Der erste Verband auf dem Schlachtfelde" heraus, welche als Beilage ein dreieckiges Tuch enthielt, bedruckt mit einem Kupferstich, der die Anwendung des Major'schen dreieckigen Tuches auf dem Verbandplatze darstellte.

Während des französischen Krieges wurden von dem Hülfsverein in Kiel zahlreiche Verbandpäckchen nach meiner Angabe angefertigt und an unsere Soldaten vertheilt. Dieselben enthielten ausser jenem dreieckigen Tuch mit Sicherheitsnadel je zwei Tupfer mit Carbolwatte gefüllt und eine Gazebinde, Alles in Pergament-papier eingeschlagen.

Als sich später herausstellte, dass die Carbolsäure rasch ver-dunstete, nahm ich statt dessen Salicylwatte, und da auch die Salicylsäure bei längerem Tragen des Päckchens aus der Watte herausfiel, liess ich an die Stelle derselben Ballen von Chlorzink-jute und später Tupfer von Sublimat-Sägespänen setzen.

Da mir dann von militärischer Seite der Einwurf gemacht wurde, dass es nicht rathsam sei, dem Soldaten ein Bild mit in den Krieg zu geben, auf welchem „die Schrecken des Schlacht-feldes" dargestellt seien, so liess ich ein anderes dreieckiges Tuch aus billigstem Baumwollenstoff anfertigen, auf welches nur sechs einzelne nackte Figuren gedruckt sind, an denen die verschiedenen Anwendungsarten des Verbandtuches zu sehen sind. Dieses Tuch wird jetzt als Lehrmittel für die erste Hülfte allgemein gebraucht, nicht nur in unseren Samariterschulen, sondern auch von der grossen Ambulance Association in England und Amerika (Fig. 114).

Da ich mit der Zusammenstellung der Verbandpäckchen stets den Fortschritten der Antiseptik zu folgen bemüht war, so ent-hält mein neuestes Päckchen unter dem Titel: „Nothverband für das Schlachtfeld" ausser diesem Tuch zwei Compressen von Kochsalz-Sublimat-Mull (10 cm breit, 100 cm lang), jede in Firnisspapier eingehüllt, und eine Kochsalz-Sublimat-Cambricbinde (10 cm breit, 2 m lang), so dass mit dem darin enthaltenen antiseptischen Material selbst grosse Wunden bedeckt werden können.

Das Ganze ist stark zusammengepresst und in sehr haltbaren, wasserdichten Kautschukstoff eingeschlagen und stellt ein Packet von $1\frac{1}{2}$ cm Dicke und 10 cm im ☐ dar, welches genau 100 g wiegt und mit folgender Gebrauchsanweisung bedruckt ist:

„Bei einfachen Schusswunden wird auf jede Schussöffnung eine der Compressen gelegt, nachdem das Firnisspapier davon ab-genommen ist.

Bei grösseren Wunden entfaltet man die Compressen und sucht die ganze Wundfläche mit dem antiseptischen Mull zu bedecken.

Durch Umwickelung mit der Binde wird der Mull auf der Wunde befestigt.

Das dreieckige Tuch dient zur weiteren Bedeckung dieses Verbandes, zur Unterstützung des verletzten Gliedes oder zur

Befestigung von Nothschienen, wie es auf dem Tuche abgebildet ist."

Nun hat sich zwar durch Versuche herausgestellt, dass nach längerem Lagern auch das Sublimat aus den Verbandstoffen herausfällt; die Stoffe selbst aber wurden aseptisch gefunden, so dass dieser Nothverband allen Anforderungen der **primären aseptischen Occlusion** genügt.

An welcher Stelle der Uniform diese Päckchen am besten unterzubringen sein werden, darüber enthalte ich mich jedes Urtheils. Es ist das Sache der Militärbehörden. Doch will ich bemerken, dass der Inhalt derselben sich leicht zu einem doppelt so grossen, aber um die Hälfte dünneren Packet zusammenlegen lässt, so dass es als Wattirung an der einen Brustseite des Waffenrockes eingenäht werden kann. *)

---

*) Der Instrumentenmacher H. Beckmann in Kiel liefert diese Verbandpäckchen für 50 Pfennige.

------>※<------

Sach-Verzeichniss.

Namen-Verzeichniss.

Lightning Source UK Ltd.
Milton Keynes UK
UKHW012019071118
331958UK00015B/2024/P